ask PUBLISHING

臼井 紫瑞子
USUI Shizuko

8つの活用形と
55の基本文型を
マスター！

一つ覚えたらたくさん使える！

話すための
日本語短期速習教材

NIHONGO FUN & EASY Ⅱ
Basic Grammar for Conversation

The next step
in learning Japanese
for beginners

Text written in kana/kanji with English translation
(Vocabulary index with romanized letters)

Verb Conjugation Patterns for Verb Group 1（U-verbs）

ない形(けい) (▶ p. 84) Nai-form おかないでください かえらなきゃいけません いわないほうがいいです いそがなくてもいいです	わ wa	ら ra	や ya	ま ma	ぱ pa	ば ba
ます形(けい) (▶ p. 34) Masu-form もちましょうか のみに行(い)きます いきたいです うたいすぎました	(い) (i)	り ri		み mi	ぴ pi	び bi
辞書形(じしょけい) (▶ p. 24) Dictionary Form のるのが好(す)きです いくつもりです あうまえに	(う) (u)	る ru	ゆ yu	む mu	ぷ pu	ぶ bu
可能動詞(かのうどうし) (▶ p. 130) Potential Verbs よめるようになりました 条件形(じょうけんけい) (▶ p. 168) Conditional Form かえばよかったです いつもうしこめばいいですか	(え) (e)	れ re		め me	ぺ pe	べ be
意向形(いこうけい) (▶ p. 188) Volitional Form いこうと思(おも)っています かおうと思(おも)ったら	を o	ろ ro	よ yo	も mo	ぽ po	ぼ bo

Use this chart to help you conjugate Group 1 verbs (U-verbs). Find the last syllable of the dictionary form in the below chart and move up or down in the same column to find the conjugation you wish to make.
For example: いく iku (Dictionary Form) → いきます ikimasu (Masu-form).

は ha	な na	だ da	た ta	ざ za	さ sa	が ga	か ka	あ a	**a**
ひ hi	に ni	ぢ ji	ち chi	じ ji	し shi	ぎ gi	き ki	い i	**i**
ふ fu	ぬ nu	づ zu	つ tsu	ず zu	す su	ぐ gu	く ku	う u	**u**
へ he	ね ne	で de	て te	ぜ ze	せ se	げ ge	け ke	え e	**e**
ほ ho	の no	ど do	と to	ぞ zo	そ so	ご go	こ ko	お o	**o**

NIHONGO FUN & EASY II

Basic Grammar for Conversation

渡部 由紀子
WATANABE Yukiko

左 弥寿子
HIDARI Yasuko

臼井 紫瑞子
USUI Shizuko

To Users of This Book

Eight years have passed since NIHONGO FUN & EASY was first published in December 2009. As its authors, we are grateful to the many people who have used our book. We have also repeatedly received the one question that arises whenever one encounters a good textbook: "NIHONGO FUN & EASY is a wonderful textbook, but what textbook should I use after I'm through with this one?"

We had ideas about the kind of textbook that should follow the level introduced in NIHONGO FUN & EASY if we ever were to have the opportunity to create such a book. The core concept of this series is FUN and EASY. One of the reasons Japanese is considered difficult to learn is the variety and complexity of conjugations for the verbs and adjectives. If all you wanted to learn was survival Japanese, you could do that by rote memorization of phrases. But if you want take it one step further and be able to express yourself in Japanese, you cannot do so without studying the conjugation of verbs and adjectives. The question then is how to make the study of conjugation that all students of Japanese must go through a "FUN and EASY" task.

This textbook introduces the Masu-form, Dictionary Form, Te-form, Ta-form, Nai-form, Potential Form, Conditional Form, the Volitional Form of Verbs, the Plain Form and expressions using Adjectives, and Giving-and-Receiving expressions. Just as with NIHONGO FUN & EASY, starting with basic phrase-by-phrase exercises, users of this book will gradually work towards practical application, eventually becoming able to seamlessly incorporate new sentence patterns into daily conversation. Given this logical structure, this textbook is suited for those who wish to improve their speaking skills quickly.

Like in the previous series, we placed special emphasis on incorporating words and expressions that are useful in everyday life, while ensuring the structure of this textbook remained simple and easy to learn.

As Japanese society continues to diversify, it is our hope that you, the learners of the Japanese language, enjoy an exciting and fulfilling life filled with lively communication. While there is a limit to what we can do as individuals, our sincere hope is that the readers who pick up this book will eventually play a part in creating a more open future for everyone in Japan.

February 2018
The Authors

この本を使う方へ

拙著『NIHONGO FUN & EASY』が2009年12月に刊行されてから早8年、おかげさまでたくさんの皆さんにご利用いただけるようになりました。と同時に、この間次のような質問をよく受けるようになりました。それは、「『NIHONGO FUN & EASY』は素晴らしいんだけど、このあとはどんなテキストを使えばいいの？」という、良い教材に出会ったあとに誰もが抱く疑問です。

『NIHONGO FUN & EASY』の次のレベルを執筆する機会があるのなら、こんな内容にしたいなというアイデアは以前から私たちの頭の中にありました。テキストのコアコンセプトとなる、FUNとEASY。日本語が難しいとされる理由のひとつに動詞や形容詞の活用の多さ・複雑さが挙げられます。サバイバルの日本語ならフレーズをまるごと覚えるだけでもなんとかなりますが、一歩進んで自分の言いたいことを日本語で表現したいと思ったときに、動詞や形容詞などの活用形の学習を避けて通ることはできません。では、避けて通れないこの活用形の学習を、どうしたらFUNでEASYな学習に変えられるのでしょうか。

このテキストでは、動詞のます形・辞書形・て形・た形・ない形・可能形・条件形・意向形の他に、普通形、形容詞を使った表現、授受表現を扱っています。まず活用形の導入をして、その後、その活用形から作ることができる文型表現をまとめて一気に導入していきます。そして、『NIHONGO FUN & EASY』と同様、「1フレーズ単位の基礎練習から応用練習へ」を繰り返すことで、活用形が口からスラスラと出るようになり、自然と会話の中で文型が使用できるようになります。非常に合理的な構成になっていますので、短い期間で会話力を伸ばしたいという方にはぴったりです。

作成にあたって今回も私たちがこだわったのは、実際の日常生活のさまざまな場面ですぐに役立つ語彙や表現を取り入れること、シンプルで学びやすい構成になっていることの2点です。

日本の社会が今後ますます多様化していく中、学習者の皆さんの日本での日常が、よりコミュニケーションにあふれた豊かなものになるように祈っています。私たち一人ひとりの力はとても小さいですが、この本を手にする多くの方々を通して、より大きな力となって日本の次の時代をより開かれたものにしていくように願っています。

2018年 2月
著者一同

もくじ Contents

音声について　About the Audio

この本の音声はダウンロードサービスとなっています。
Free audio for this textbook is available for download.

音声ダウンロードのしかた　How to Download Audio

▶PCをご利用の方は下記サイトよりダウンロードができます。

PC users can download the audio from the following website.

アスク出版のサポートサイト　Ask Publishing Support:
http://www.ask-support.com/japanese/

▶スマートフォン（iPhone, Androidなど）をご利用の方はオーディオブック配信サービスaudiobook.jpよりダウンロードができます。audiobook.jpのアプリを事前にダウンロードする必要があります。詳しくは下記サイトをご覧ください。

Smartphone (iPhone, Android, etc.) users can download the files from the audiobook distribution service audiobook.jp. You will need to download the audiobook.jp app beforehand. Please see the site below for details.

アスク出版のサポートサイト　Ask Publishing Support:
http://www.ask-support.com/japanese/

右のQRコードからもアクセスできます。
The site can also be accessed using the QR code on the right.

アスクユーザーサポート　E-mail：support@ask-digital.co.jp

How to Use This Book

Introduction

In order to move deeper into the realm of "natural Japanese," it is necessary not only to be able to speak a particular phrase by rote, which NIHONGO FUN & EASY strives for, but to acquire basic sentence patterns that will allow you to create and speak your own phrases. In order to be able to do that, you must learn the conjugation of verbs and adjectives. This textbook starts with the study of dictionary form, so you will become able to distinguish the three verb groups. This will be followed by conjugation from the dictionary form. By acquiring this habit of thinking with the dictionary form as the base, the subsequent study will become easier. It will also make it easier for you to look up words in the dictionary.

Each unit of this book consists of sentence patterns that use the same conjugation form. First, new conjugation rules are introduced along with conjugation practice based on these new rules. Like NIHONGO FUN & EASY, repetition of phrase-based exercises builds toward practical application. You will notice that the conjugations start to come out of you naturally as you speak, and you will become able to use the sentence patterns fluidly in everyday conversations.

Unit Structure and Lesson Flow

(1) Identifying the Unit Goal

This book is divided into units made up of different conjugation forms. Before starting each unit, confirm and share the "what we will study in this unit (conjugation form)" section found in the beginning of the unit, and the sentence pattern (English translation provided) to be introduced in the unit.

(2) Conjugation Practice and Application (20-30 min)

Each unit has a chart that shows the conjugation form. After learning how to create the conjugation of each group, practice the applications using the "Let's practice!" exercises on the right page. The vocabulary is based on the words that appear in each unit.

辞書形 Dictionary Form [V-る]

Group 1 (U-verbs)

ます形 Masu-form			辞書形 Dictionary Form	
てつだ**い**ます	tetsuda**i**masu	➡	てつだ**う**	tetsuda**u**
か**き**ます	ka**ki**masu	➡	か**く**	ka**ku**
いそ**ぎ**ます	iso**gi**masu	➡	いそ**ぐ**	iso**gu**
はな**し**ます	hana**shi**masu	➡	はな**す**	hana**su**

Let's Practice! (Track 1)

Starting from the Masu-form, make the Dictionary Form.

Masu-form	Meaning	Group	Dictionary Form
始(はじ)まります	it starts	1	
プールに入(はい)ります	get in a pool	1	
乗(の)ります	ride, get on	1	

(3) Sentence Pattern Introduction (5 min)

The sentence pattern introduced in each unit is accompanied by an English translation so that you will understand the meaning of the Japanese sentence. After learning the meaning, recite the sentence repeatedly. Go through the NOTE as well as the actual conversation written in the example.

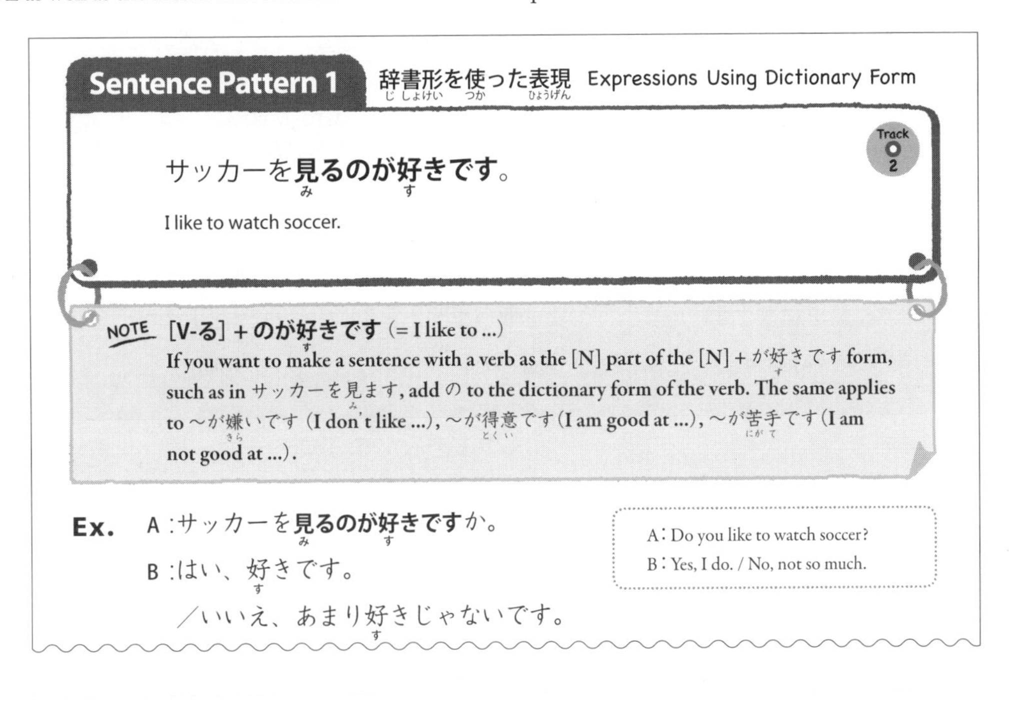
Sentence Pattern 1 辞書形を使った表現 Expressions Using Dictionary Form

Track 2

サッカーを**見るのが好きです**。

I like to watch soccer.

NOTE **[V-る] + のが好きです** (= I like to ...)
If you want to make a sentence with a verb as the [N] part of the [N] + が好きです form, such as in サッカーを見ます, add の to the dictionary form of the verb. The same applies to ～が嫌いです (I don't like ...), ～が得意です (I am good at ...), ～が苦手です (I am not good at ...).

Ex. A :サッカーを**見るのが好きです**か。
B :はい、好きです。
／いいえ、あまり好きじゃないです。

A : Do you like to watch soccer?
B : Yes, I do. / No, not so much.

(4) Phrase Practice (Practice A) (10 min)

Practice A consists of conversion and replacement practices, one phrase at a time, following the rules of conjugation introduced in the beginning of the unit. The conversion practice is designed to enable you to create conjugations quickly. Furthermore, there is an audio file for effective practice. Listen without looking at the text and repeat what you hear during the pauses between phrases. Make sure to practice the negative and past forms when applicable.

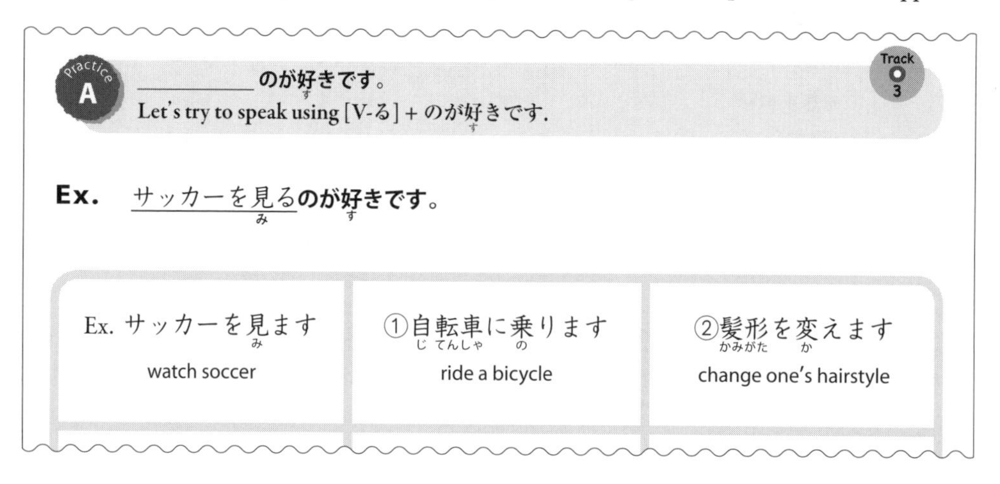

Practice A
________のが好きです。
Let's try to speak using [V-る] + のが好きです.
Track 3
Ex. サッカーを見るのが好きです。
Ex. サッカーを見ます
watch soccer
①自転車に乗ります
ride a bicycle
②髪形を変えます
change one's hairstyle

(5) Conversation Practice (Practice B) (10 min)

Practice B consists of simple conversation practice using the sentence pattern introduced in the section. Expand your practice by using the vocabulary in Practice A. Practice as though you are having a real conversation, paying close attention to your intonation, speed, reaction and suffixes. Be able to recite the conversation without looking at the text. Again, listen to the accompanying audio, repeating after each phrase.

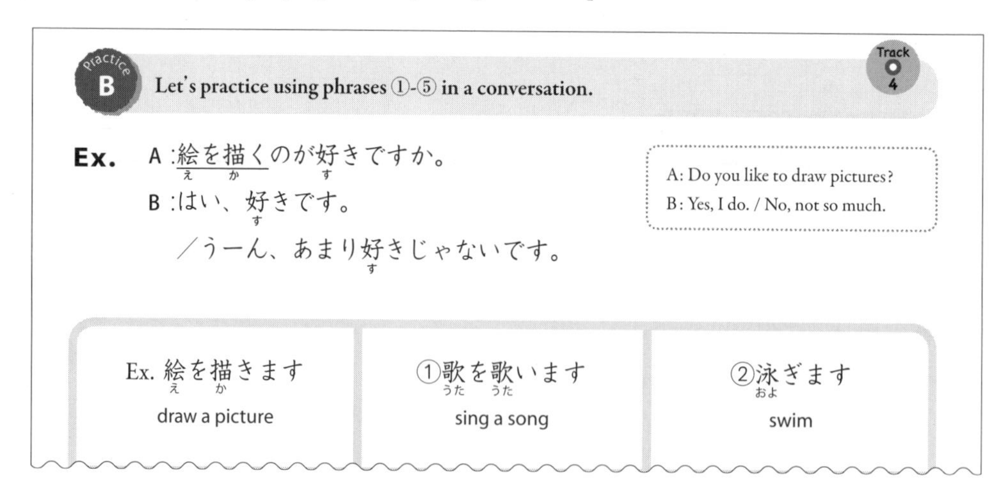

(6) Application Practice (Practice C) (20 min)

Practice C consists of application and further development exercises. You will conduct free conversations and practice via role-playing situations that frequently use the introduced sentence pattern. Refer to the examples and use not only the sentence pattern from the current unit but also patterns from previous units. Don't practice just once. Try several times, striving for improvement in your ability to speak smoothly by paying close attention to your intonation and responses.

• Free Conversation

Let's talk about what you 好き(すき) (liked) ／嫌い(きらい) (disliked) ／得意(とくい) (was good at) ／苦手(にがて) (was not good at) when you were a child and things you 好き(すき) (like) ／嫌い(きらい) (dislike) ／得意(とくい) (are good at) ／苦手(にがて) (are not good at) now.

Ex. 子(こ)どものとき、運動(うんどう)するのが苦手(にがて)でした。
スポーツを見(み)るのも嫌(きら)いでした。でも今(いま)、サッカーを見(み)るのが大好(だいす)きです。

• Role-playing

Ask your partner if he/she is going to this month's event. Also ask who he/she is going with, what to bring, wear, where to go, the time, etc.

Ex. A :Bさん、6日(むいか)のパーティーに行(い)きますか。
B :はい、行(い)くつもりです。
A :何(なに)を着(き)ていきますか。
B :ドレスを着(き)ていくつもりです。

SUN	MON	TUE	WED	THU	FRI	SAT
1	2	3	4	5	6 パーティー Party	7
8	9	10	11	12	1	

(7) Listening Practice (10 min)

Practice by listening to a conversation that features the sentence structure introduced in the unit. Each unit contains four questions and the correct answers are to be chosen from the three choices provided. The accompanying audio conversation is spoken in a speed that is close to natural speech. This is designed to help you improve your ability to pick out the important information rather than trying to understand every word. You should be able to answer the questions if the unit's sentence pattern has truly taken root in you.

Listening

Listen to the conversation between the man and woman and choose the correct answers.

Q1 Which of the following is true?

〈Conversation with the mother of the host family〉

1. The man will study at home.
2. The man will call home later.
3. The man is going home immediately.

Q3 What will the man do?

1. He will talk to Okamura-san at the meeting.
2. He will talk to Okamura-san, then go to the meeting.

(8) Shadowing Practice (10-15 min)

Shadowing practice is centered on a longer conversation featuring sentence patterns introduced throughout the unit. The accompanying audio conducts the conversation at a natural speed. If possible, try to pair up and practice shadowing. First recite the conversation in a soft voice while looking at the text. Once you get used to it, try to recite the conversation in a louder voice without looking at the text. When practicing alone, play the role of each character in turn. The goal is to be able to speak at a natural speed.

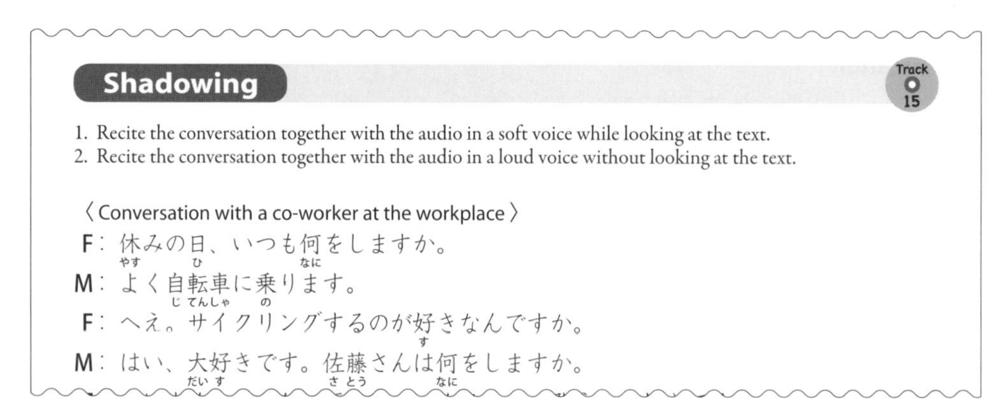

Shadowing Track 15

1. Recite the conversation together with the audio in a soft voice while looking at the text.
2. Recite the conversation together with the audio in a loud voice without looking at the text.

〈 Conversation with a co-worker at the workplace 〉

F：休みの日、いつも何をしますか。
M：よく自転車に乗ります。
F：へえ。サイクリングするのが好きなんですか。
M：はい、大好きです。佐藤さんは何をしますか。

(9) Review (Have a Try!) (20 min)

There is review after every three or four units that consists of a comprehensive speaking exercise incorporating the different items practiced in the units. While you may be able to speak the sentences individually, being able to smoothly combine them when speaking will not be so easy. The review will give you a chance to practice the different sentence patterns that have been introduced throughout the units. There are three basic types of exercises:

Role-playing : practicing using role cards

Speech : speaking about a given topic at length

Conversation : exchanging opinions on a given topic

This section is structured so that the target sentence patterns are easy to identify, which should motivate you to try to use sentence patterns that you have learned.

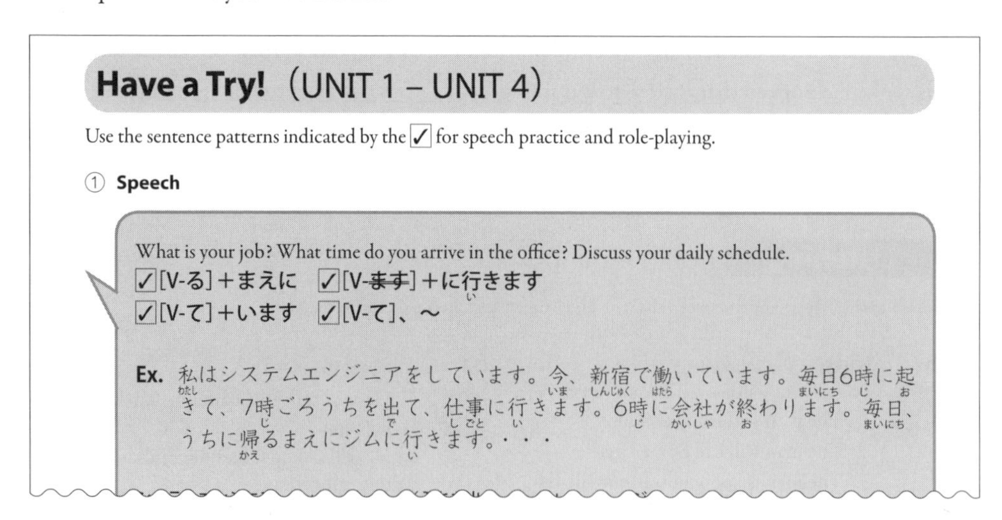

Have a Try! (UNIT 1 – UNIT 4)

Use the sentence patterns indicated by the ✓ for speech practice and role-playing.

① **Speech**

What is your job? What time do you arrive in the office? Discuss your daily schedule.
✓[V-る]＋まえに ✓[V-~~ます~~]＋に行きます
✓[V-て]＋います ✓[V-て]、～

Ex. 私はシステムエンジニアをしています。今、新宿で働いています。毎日6時に起きて、7時ごろうちを出て、仕事に行きます。6時に会社が終わります。毎日、うちに帰るまえにジムに行きます。・・・

(10) Casual Expressions (Casual Conversation Between Friends)（10-20 min）

This section introduces the casual conversation style of previously introduced sentence patterns. If you wonder how you can use newly-learned sentence patterns in more casual conversations with friends, refer to this section. The accompanying audio is provided so you can listen and practice the difference between a polite tone and casual tone.

Casual Conversation Between Friends

	Polite Style →	Plain Style
U1 T135	A：サッカーを見るのが好きですか。 B：はい、好きです。 ／いいえ、あまり好きじゃないです。	A：サッカー(を)見るの(が)好き？ B：うん、好き。 ／ううん、あまり好きじゃない。
T136	A：明日、パーティーに行きますか。 B：はい、行くつもりです。	A：明日、パーティー(に)行く？ B：うん、行くつもり。
T137	A：寝るまえに何をしますか。 B：本を読みます。	A：寝るまえに何(を)する？ B：本(を)読む。
U2	A：荷物を持ちましょうか。	A：荷物(を)持とうか。(▶ p.188)

Total study time : approximately 60 hours

- **Main unit practice :** about 55 hours (UNITs 1-14)
- **Others :** about 5 hours (review, casual expressions, etc.)

この本の使い方

はじめに

「使える日本語」の世界により深く入って行くためには、『NIHONGO FUN & EASY』の「そのままフレーズとして覚えて話す」から、「自ら文を作り出して話す」ための基本文型の習得が不可欠となります。そのためには動詞や形容詞などの活用形の学習を避けて通ることはできません。このテキストでは、まず動詞の３つのグループの識別ができるようになるために、辞書形の学習からスタートします。その後は辞書形からの活用練習をしていきます。この「辞書形をベースに考える」習慣を早く身につけることが、その後の学習を楽にしてくれます。また、学習者自身が語彙を調べるときにも便利です。

このテキストでは同じ活用形を使う文型ごとにユニットを構成しているので、まず活用形のルールを導入し、それに基づいて活用練習をします。その後は『NIHONGO FUN & EASY』と同様、文型ごとに「１フレーズ単位の基礎練習から応用練習へ」を繰り返すことで活用形が口からスラスラと出るようになり、自然に会話の中で文型が使えるようになります。

ユニットの構成と授業の流れ

①学習目標の確認

このテキストではユニット立てが活用形ごとになっています。それぞれのユニットの練習に入る前に、各ユニットの扉で「このユニットで学ぶこと（活用形）」と、そのユニットで取り上げる文型（英訳付き）を確認・共有しましょう。

②活用形の作り方の確認・活用練習（20〜30分）

ユニットのはじめに活用形の作り方の表が配されています。グループごとに活用形の作り方を確認したあと、右ページの Let's Practice! で活用練習をします。語彙はそのユニットに出てくる語彙の中から選んで載せています。

辞書形 Dictionary Form [V-る]

Group 1 (U-verbs)

ます形 Masu-form			辞書形 Dictionary Form	
てつだ**い**ます	tetsuda**i**masu	➡	てつだ**う**	tetsuda**u**
か**き**ます	ka**ki**masu	➡	か**く**	ka**ku**
いそ**ぎ**ます	iso**gi**masu	➡	いそ**ぐ**	iso**gu**
はな**し**ます	hana**shi**masu	➡	はな**す**	hana**su**

●● Let's Practice! ●●  

Starting from the Masu-form, make the Dictionary Form.

Masu-form	Meaning	Group	Dictionary Form
始まります	it starts	1	
プールに入ります	get in a pool	1	
乗ります	ride, get on	1	

③文型（Sentence Pattern）の導入（5分）

学習する文型の例文には英訳がついているので、意味をとらえることができます。意味が確認できたら一度声を出して何度もリピートしてみましょう。さらにNOTEにも目を通し、Ex.で実際の会話例も確認します。

Sentence Pattern 1 辞書形を使った表現 Expressions Using Dictionary Form

サッカーを**見るのが好きです**。

I like to watch soccer.

Track 2

NOTE **[V-る] + のが好きです** (= I like to ...)

If you want to make a sentence with a verb as the [N] part of the [N] + が好きです form, such as in サッカーを見ます, add の to the dictionary form of the verb. The same applies to ～が嫌いです (I don't like ...), ～が得意です (I am good at ...), ～が苦手です (I am not good at ...).

Ex. A：サッカーを**見るのが好きです**か。
B：はい、好きです。
／いいえ、あまり好きじゃないです。

A：Do you like to watch soccer?
B：Yes, I do. / No, not so much.

④フレーズ練習（Practice A）（10分）

Practice Aでは、ユニットのはじめに学習した活用形の作り方のルールにしたがって、1フレーズ単位での変換・代入練習を行います。変換は何度も繰り返し、スムーズかつスピーディーに活用形が作れるようにパターン練習をします。その後、付属の音声を使って、文字を見ないでポーズ内で言う練習も効果的です。また、学習文型によって否定形・過去形などにも挑戦してみましょう。

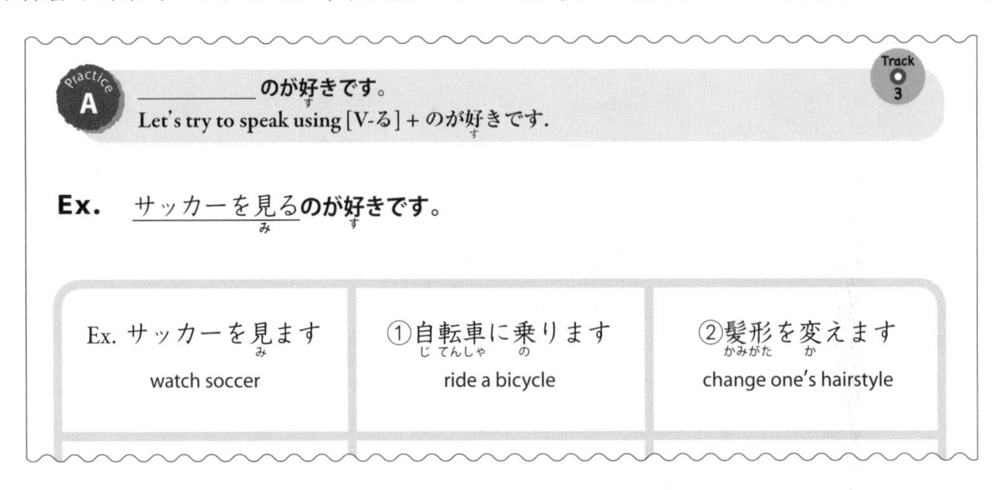

Practice A
＿＿＿＿＿のが好きです。
Let's try to speak using [V-る] + のが好きです.
Track 3
Ex. サッカーを見るのが好きです。
Ex. サッカーを見ます
watch soccer
①自転車に乗ります
ride a bicycle
②髪形を変えます
change one's hairstyle

⑤会話練習（Practice B）（10分）

Practice Bでは、学習文型を使った簡単な会話練習が組んであります。Practice Aの語彙も使えるようなら使って、練習の幅を広げましょう。実際の会話のようにイントネーションやスピード、リアクション、接尾辞等にも注意して、見ないでも言えるように練習します。付属の音声を使って、文字を見ないで言う練習もしてみましょう。

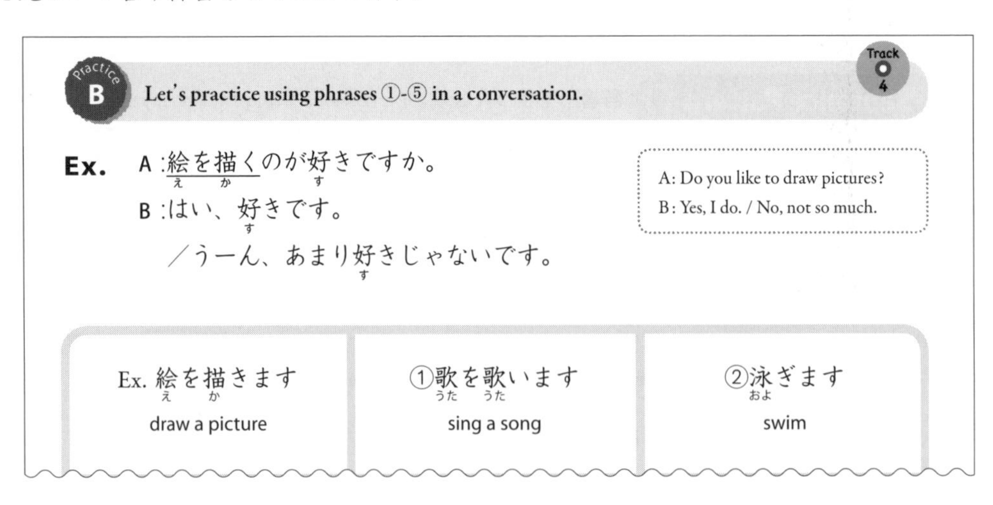

⑥応用・発展練習（Practice C）（20分）

Practice Cは応用・発展練習です。学習文型がよく使用される場面が設定されているので、それにしたがって自由会話やロールプレイを行います。Ex.を参考に、学習文型だけでなく、既習の文型表現も使って話してみましょう。この練習も一度できたからよしとするのではなく、イントネーションやリアクションなどにも気をつけて、スムーズに話すスキルの向上を図りましょう。

・自由会話

Let's talk about what you 好き(liked)／嫌い(disliked)／得意(was good at)／苦手(was not good at) when you were a child and things you 好き(like)／嫌い(dislike)／得意(are good at)／苦手(are not good at) now.

Ex. 子どものとき、運動するのが苦手でした。
スポーツを見るのも嫌いでした。でも今、サッカーを見るのが大好きです。

・ロールプレイ

Ask your partner if he/she is going to this month's event. Also ask who he/she is going with, what to bring, wear, where to go, the time, etc.

Ex. A：Bさん、6日のパーティーに行きますか。
B：はい、行くつもりです。
A：何を着ていきますか。
B：ドレスを着ていくつもりです。

SUN	MON	TUE	WED	THU	FRI	SAT
1	2	3	4	5	6	7
8	9	10	11	12	[illegible]	

パーティー
Party

⑦リスニング練習（Listening）（10分）

Listeningで、ユニットで学習した文型を使った会話の聞き取り練習をします。各ユニットに4問出題され、3つの中から答えを選ぶ選択式になっています。付属の音声の会話は自然に近いスピードで話されているので、全てを聞き取るのではなく必要な情報をスキャンする能力を高めることを目指しています。ユニットで学習した文型が定着していれば答えられる問題になっています。

Listening

Listen to the conversation between the man and woman and choose the correct answers.

Q1 Which of the following is true?

〈Conversation with the mother of the host family〉
1. The man will study at home.
2. The man will call home later.
3. The man is going home immediately.

Q3 What will the man do?

1. He will talk to Okamura-san at the meeting.
2. He will talk to Okamura-san, then go to the meeting.

⑧シャドーイング練習（Shadowing）（10～15分）

Shadowingは、ユニットで学習した文型を使ったやや長めの会話です。付属の音声の会話は自然に近いスピードで話されています。できればペアになって練習します。最初はテキストを見て音声を追いながら小さい声で言ってみましょう。慣れてきたら、テキストを見ないで音声を追いながら大きい声で言ってみましょう。一人で練習する場合は、会話中の人物を一人ずつ練習してみましょう。最後にはナチュラルスピードで自然に話せることを目標にします。

Shadowing

1. Recite the conversation together with the audio in a soft voice while looking at the text.
2. Recite the conversation together with the audio in a loud voice without looking at the text.

〈Conversation with a co-worker at the workplace〉

F：休みの日、いつも何をしますか。
M：よく自転車に乗ります。
F：へえ。サイクリングするのが好きなんですか。
M：はい、大好きです。佐藤さんは何をしますか。

⑨まとめの練習（Have a Try!）（20分）

３～４ユニットに１回、該当ユニットの学習項目を使って総合的に話す練習を設けています。文型単体では話せても、それらを組み合わせて話すのは難しいものです。既習ユニットの文型を振り返りながらの力試しができるでしょう。大きく分けて、以下３種類の練習パターンがあります。

- **ロールプレイ：**ロールカードを使っての練習です。
- **スピーチ：**与えられたテーマについて、少しまとまった内容を話す練習です。
- **会話：**与えられたトピックについて、意見を交わす練習です。

使用してほしい文型が一目でわかるようにしてあるので、「習った文型を使おう」というモチベーションも上がるはずです。

Have a Try!（UNIT 1 – UNIT 4）

Use the sentence patterns indicated by the ✓ for speech practice and role-playing.

① **Speech**

What is your job? What time do you arrive in the office? Discuss your daily schedule.

✓[V-る]＋まえに　✓[V-~~ます~~]＋に行きます
✓[V-て]＋います　✓[V-て]、～

Ex. 私はシステムエンジニアをしています。今、新宿で働いています。毎日6時に起きて、7時ごろうちを出て、仕事に行きます。6時に会社が終わります。毎日、うちに帰るまえにジムに行きます。・・・

⑩カジュアル表現（Casual Conversation Between Friends）（10〜20分）

各Sentence Patternの最初の会話例を親しい友だち同士で話すときのカジュアルな形にしたものです。「習った文型は友だちと話すときにどう使うの？」と思ったときの参考にしてください。音声も付いているので、丁寧な言い方からカジュアルな言い方への変換練習もできます。

Casual Conversation Between Friends

	Polite Style →	Plain Style
U1 T135	A：サッカー**を見るのが好きですか。** B：**はい、好きです。** ／**いいえ、**あまり**好きじゃないです。**	A：サッカー**(を)見るの(が)好き？** B：**うん、好き。** ／**ううん、**あまり**好きじゃない。**
T136	A：明日、パーティー**に行きますか。** B：**はい、行くつもりです。**	A：明日、パーティー**(に)行く？** B：**うん、行くつもり。**
T137	A：寝るまえに**何をしますか。** B：本**を読みます。**	A：寝るまえに**何(を)する？** B：本**(を)読む。**
U2	A：荷物**を持ちましょうか。**	A：荷物**(を)持とうか。**(▶ p.188)

総学習時間：約60時間

- **メインユニット練習：**約55時間（UNIT 1〜14）
- **その他：**約5時間（まとめの練習、カジュアル表現など）

動詞(どうし)のグループ　Verb Groups

Verbs can be divided into three categories according to their conjugations. In order to memorize how verbs conjugate, it is important to first understand these three categories.

Group 1 (U-verbs)

1. Verbs that end in vowel sounds other than [-ru].

-u	-ku	-su	-tsu
かう [kau] (buy)	かく [kaku] (write)	はなす [hanasu] (speak)	まつ [matsu] (wait)
-nu	**-bu**	**-mu**	**-gu**
しぬ [shinu] (die)	あそぶ [asobu] (play)	のむ [nomu] (drink)	およぐ [oyogu] (swim)

2. Verbs that end in [-ru] whose final vowel before [-ru] is [a], [u], or [o].

-aru	-uru	-oru
すわる [suwaru] (sit)	ふる [furu] (shake)	とる [toru] (take)
わかる [wakaru] (understand)	つくる [tsukuru] (make)	のる [noru] (ride)

Group 2 (Ru-verbs)

Verbs that end in [-ru] whose final vowel before [-ru] is [i] or [e].

-iru	-eru
みる [miru] (look)	たべる [taberu] (eat)
おきる [okiru] (wake up)	あける [akeru] (open)

Exceptions: かえる [kaeru] (go back/home), はいる [hairu] (enter), きる [kiru] (cut), いる [iru] (need), しる [shiru] (know), はしる [hashiru] (run) ⇒ **U-verbs**

Group 3 (Irregular Verbs)

する [suru] (do)	くる [kuru] (come)
勉強(べんきょう)する [benkyōsuru] (study)	持(も)ってくる [mottekuru] (bring)

Let's Practice!

Classify the verbs below into the correct category.

会う あ [au] (meet)	おりる [oriru] (go down)	行く い [iku] (go)	怒る おこ [okoru] (get angry)	呼ぶ よ [yobu] (call)
休む やす [yasumu] (take a rest)	着る き [kiru] (wear)	寝る ね [neru] (go to bed)	貸す か [kasu] (lend)	入る はい [hairu] (enter)
持つ も [motsu] (hold)	帰る かえ [kaeru] (go back/home)	登る のぼ [noboru] (climb)	辞める や [yameru] (quit)	いる [iru] (be)
落ちる お [ochiru] (fall)	買い物する かい もの [kaimonosuru] (go shopping)	借りる か [kariru] (borrow)	連れてくる つ [tsuretekuru] (bring a person)	急ぐ いそ [isogu] (hurry)
切る き [kiru] (cut)	手伝う て つだ [tetsudau] (help)	読む よ [yomu] (read)	いる [iru] (need)	ある [aru] (be)

Group 1 (U-verbs)	**Group 2** (Ru-verbs)	**Group 3** (Irregular Verbs)

辞書形を使った表現
Expressions Using Dictionary Form

1 サッカーを**見るのが好きです**。

I like to watch soccer.

2 パーティーに**行くつもりです**。

I plan to go to the party.

3 **寝るまえに**本を読みます。

I read a book before going to sleep.

辞書形(じしょけい) Dictionary Form [V-る]

Group 1 (U-verbs)

ます形(けい) Masu-form			辞書形(じしょけい) Dictionary Form	
てつだ**い**ます	tetsuda**i**masu	➡	てつだ**う**	tetsuda**u**
か**き**ます	ka**ki**masu	➡	か**く**	ka**ku**
いそ**ぎ**ます	iso**gi**masu	➡	いそ**ぐ**	iso**gu**
はな**し**ます	hana**shi**masu	➡	はな**す**	hana**su**
し**に**ます	shi**ni**masu	➡	し**ぬ**	shi**nu**
よ**み**ます	yo**mi**masu	➡	よ**む**	yo**mu**
かえ**り**ます	kae**ri**masu	➡	かえ**る**	kae**ru**

Group 2 (Ru-verbs)

ます形(けい) Masu-form			辞書形(じしょけい) Dictionary Form	
たべ**ます**	tabe**masu**	➡	たべ**る**	tabe**ru**
ね**ます**	ne**masu**	➡	ね**る**	ne**ru**
み**ます**	mi**masu**	➡	み**る**	mi**ru**

Group 3 (Irregular Verbs)

ます形(けい) Masu-form			辞書形(じしょけい) Dictionary Form	
します	**shimasu**	➡	**する**	**suru**
きます	**kimasu**	➡	**くる**	**kuru**

●● Let's Practice! ●● Track 1

Starting from the Masu-form, make the Dictionary Form.

Masu-form	Meaning	Group	Dictionary Form
始(はじ)まります	it starts	1	
プールに入(はい)ります	get in a pool	1	
乗(の)ります	ride, get on	1	
会(あ)います	meet	1	
雨(あめ)が降(ふ)ります	rain	1	
絵(え)を描(か)きます	draw a picture	1	
帰(かえ)ります	go back/home	1	
歌(うた)います	sing	1	
泳(およ)ぎます	swim	1	
体(からだ)を動(うご)かします	exercise	1	
着(き)ていきます	wear (to somewhere)	1	
試験(しけん)を受(う)けます	take a test	2	
出(で)かけます	go out	2	
集(あつ)めます	collect	2	
山(やま)をおります	go down a mountain	2	
別(わか)れます	break up	2	
会社(かいしゃ)を辞(や)めます	quit a company	2	
髪形(かみがた)を変(か)えます	change one's hairstyle	2	
料理(りょうり)をします	cook	3	
連(つ)れてきます	bring someone	3	

Sentence Pattern 1　辞書形(じしょけい)を使(つか)った表現(ひょうげん)　Expressions Using Dictionary Form

サッカーを**見(み)るのが好(す)きです**。

I like to watch soccer.

NOTE　**[V-る] + のが好(す)きです** (= I like to ...)

If you want to make a sentence with a verb as the [N] part of the [N] + が好(す)きです form, such as in サッカーを見(み)ます, add の to the dictionary form of the verb. The same applies to ～が嫌(きら)いです (I don't like ...), ～が得意(とくい)です (I am good at ...), ～が苦手(にがて)です (I am not good at ...).

Ex.　A：サッカーを**見(み)るのが好(す)きです**か。

B：はい、好(す)きです。

／いいえ、あまり好(す)きじゃないです。

A: Do you like to watch soccer?
B: Yes, I do. / No, not so much.

Practice A　＿＿＿＿＿＿**のが好(す)きです**。

Let's try to speak using [V-る] + のが好(す)きです.

Ex.　サッカーを見(み)る**のが好(す)きです**。

Ex. サッカーを見(み)ます watch soccer	①自転車(じてんしゃ)に乗(の)ります ride a bicycle	②髪形(かみがた)を変(か)えます change one's hairstyle
③マンガを読(よ)みます read manga	④ピアノを弾(ひ)きます play the piano	⑤古(ふる)いレコードを集(あつ)めます collect old records

Let's practice using phrases ①-⑤ in a conversation.

Ex. A：絵(え)を描(か)くのが好(す)きですか。
B：はい、好(す)きです。
／うーん、あまり好(す)きじゃないです。

A: Do you like to draw pictures?
B: Yes, I do. / No, not so much.

Ex. 絵(え)を描(か)きます draw a picture	①歌(うた)を歌(うた)います sing a song	②泳(およ)ぎます swim
③料理(りょうり)します cook	④お酒(さけ)を飲(の)みます drink alcohol	⑤体(からだ)を動(うご)かします exercise

Let's talk about what you 好(す)き (liked) ／嫌(きら)い (disliked) ／得意(とくい) (was good at) ／苦手(にがて) (was not good at) when you were a child and things you 好(す)き (like) ／嫌(きら)い (dislike) ／得意(とくい) (are good at) ／苦手(にがて) (are not good at) now.

Ex. 子(こ)どものとき、運動(うんどう)するのが苦手(にがて)でした。
スポーツを見(み)るのも嫌(きら)いでした。でも今(いま)、サッカーを見(み)るのが大好(だいす)きです。

～のとき When I was ...／運動(うんどう)する do sports／
スポーツ sports／サッカー soccer／大好(だいす)き love

Sentence Pattern 2 辞書形を使った表現 Expressions Using Dictionary Form

パーティーに**行くつもりです。**

I plan to go to the party.

NOTE **[V-る] + つもりです** (= plan to ...)
Used to express an intention or plan you have had for some time. Using ～つもりですか (do you plan to...) towards someone else gives an impression of being impolite, so it is best to avoid it in questions.

Ex. A：明日、パーティーに行きますか。
B：はい、**行くつもりです。**

A: Will you go to the party tomorrow?
B: Yes, I plan to go to the party.

Practice A ＿＿＿＿＿ **つもりです。**
Let's try to speak using [V-る] + つもりです.

Track 6

Ex. パーティーに行く**つもりです。**

Ex. パーティーに行きます go to a party	①MBAを取ります pursue an MBA degree	②会社を辞めます quit a company
③彼／彼女と別れます break up with a boyfriend/girlfriend	④試験を受けます take a test	⑤髪を切ります have my hair cut

Let's practice using phrases ①-⑤ in a conversation.
Come up with your own answer for the part on the dotted line.

Ex. A：週末(しゅうまつ)、何(なに)をしますか。
B：友(とも)だちと映画(えいが)を見(み)るつもりです。

> A: What are you going to do over the weekend?
> B : I plan to watch a movie with my friend.

Ex. 週末(しゅうまつ) weekend	①今度(こんど)の休(やす)み next holiday/vacation	②夏休(なつやす)み summer vacation
③冬休(ふゆやす)み winter vacation	④会社(かいしゃ)を辞(や)めて after quitting the company	⑤国(くに)に帰(かえ)って after returning to one's home country

Ask your partner if he/she is going to this month's event. Also ask who he/she is going with, what to bring, wear, where to go, the time, etc.

Ex. A：Bさん、6日(むいか)のパーティーに行(い)きますか。
B：はい、行(い)くつもりです。
A：何(なに)を着(き)ていきますか。
B：ドレスを着(き)ていくつもりです。

着(き)ていく wear to somewhere

SUN	MON	TUE	WED	THU	FRI	SAT
1	2	3	4	5	6 パーティー Party	7
8	9	10	11	12	1	
15	16 バーベキュー BBQ	17	18 送別会(そうべつかい) Farewell Party	19	20	21
22		24	2		27	28 セミナー Seminar
29	30	31				

Sentence Pattern 3 辞書形(じしょけい)を使(つか)った表現(ひょうげん) Expressions Using Dictionary Form

寝(ね)るまえに本(ほん)を読(よ)みます。

I read a book before going to sleep.

NOTE **[V-る]まえに** (= before ...)
Used to express one action before another action. If you want to explain an action in the past, only the last part of the sentence is the past tense. Ex. **寝(ね)るまえに**テレビを見(み)ました (I watched TV before going to sleep.)

Ex. A :**寝(ね)るまえに**何(なに)をしますか。
B :本(ほん)を読(よ)みます。

A: What do you do before you go to sleep?
B : I read books.

＿＿＿＿＿ **まえに** ＿＿＿＿ **ます**。／ ＿＿＿＿＿ **まえに** ＿＿＿ **ました**。
Let's try to speak using [V-る] + まえに、[V-ます].
Let's also try to speak using [V-る] + まえに、[V-ました].

Ex. 寝(ね)る**まえに**本(ほん)を読(よ)みます。／寝(ね)る**まえに**本(ほん)を読(よ)みました。

本(ほん)を読(よ)みます read a book Ex. ------ 寝(ね)ます sleep	資料(しりょう)をコピーします copy documents ① ------ 会議(かいぎ)が始(はじ)まります a meeting starts	お金(かね)をおろします withdraw money ② ------ 買(か)い物(もの)に行(い)きます go shopping
お土産(みやげ)を買(か)います go buy a souvenir ③ ------ 国(くに)に帰(かえ)ります go back to one's home country	天気予報(てんきよほう)をチェックします check the weather forecast ④ ------ 出(で)かけます go out	手(て)を洗(あら)います wash one's hands ⑤ ------ ご飯(はん)を食(た)べます eat a meal

Let's practice using phrases ①-⑤ in a conversation.
Come up with your own answer for the part on the dotted line.

Ex. A :学校(がっこう)に行(い)くまえに何(なに)をしますか。
B :朝(あさ)ご飯(はん)を食(た)べます。

A: What do you do before you go to school?
B: I eat breakfast.

Ex. 学校(がっこう)に行(い)きます go to school	①プールに入(はい)ります get in the pool	②飛行機(ひこうき)に乗(の)ります ride an airplane
③彼(かれ)/彼女(かのじょ)に会(あ)います meet your boyfriend/girlfriend	④国(くに)に帰(かえ)ります return to one's home country	⑤旅行(りょこう)に行(い)きます go on a trip

It looks like it is going to rain soon. Tell your partner you want to do something before it starts. But your partner also has something he/she wants to do. Discuss among yourselves and decide you both will do.

What I want to do

- 帰(かえ)ります go home
- 出(で)かけます go out
- 買(か)い物(もの)に行(い)きます go shopping
- 山(やま)をおります go down a mountain

What he/she wants to do

- もう少(すこ)し買(か)い物(もの)します do a little more shopping
- メールをチェックします check email
- 宿題(しゅくだい)をします do homework
- スケッチをします sketch

Ex. A :Bさん、雨(あめ)が降(ふ)るまえに帰(かえ)りましょう。
B :ええ。でも帰(かえ)るまえにもう少(すこ)し買(か)い物(もの)したいんですが…。
A :わかりました。じゃあ、急(いそ)ぎましょう。

〜んですが is used when seeking advice or requesting a favor/急(いそ)ぎましょう Let's hurry.

Listening

Listen to the conversation between the man and woman and choose the correct answers.

Q1 Which of the following is true?

〈Conversation with the mother of the host family〉

1. The man will study at home.
2. The man will call home later.
3. The man is going home immediately.

Q2 Which of the following is true?

1. Both the man and the woman do not like to cook.
2. The man and the woman both like to cook.
3. The man and the woman both like to wash dishes.

Q3 What will the man do?

1. He will talk to Okamura-san at the meeting.
2. He will talk to Okamura-san, then go to the meeting.
3. He will talk to his boss, then go to the meeting.

Q4 What will the woman do?

〈Conversation at a karaoke bar〉

1. She will sing in Korean.
2. She will have the man sing a song in Korean.
3. She will sing a Japanese song.

Shadowing

1. Recite the conversation together with the audio in a soft voice while looking at the text.
2. Recite the conversation together with the audio in a loud voice without looking at the text.

〈Conversation with a co-worker at the workplace〉

F：休(やす)みの日(ひ)、いつも何(なに)をしますか。
M：よく自転車(じてんしゃ)に乗(の)ります。
F：へえ。サイクリングするのが好(す)きなんですか。
M：はい、大好(だいす)きです。佐藤(さとう)さんは何(なに)をしますか。
F：私(わたし)はよくカラオケに行(い)きます。カラオケで歌(うた)うのが好(す)きです。
M：へえ、上手(じょうず)なんでしょうね。
F：上手(じょうず)じゃないですが、好(す)きです。今度(こんど)の週末(しゅうまつ)も新宿(しんじゅく)でカラオケをするつもりです。
M：いいですね。
F：よかったら、マークさんも週末(しゅうまつ)、いっしょにどうですか。
M：いいですね。ぜひ。
F：じゃあ、行(い)くまえに連絡(れんらく)しますね。

サイクリングする go cycling／**～んです** it's the case that: Explains a situation or reason.／**～でしょう** I guess ...／**ぜひ** of course

ます形(けい)を使(つか)った表現(ひょうげん)
Expressions Using Masu-form

1 荷物(にもつ)を**持(も)ちましょうか**。

Shall I carry with your bag (s) ?

---

2 新宿(しんじゅく)に映画(えいが)を**見(み)に行(い)きます**。

I'll go to Shinjuku to see a movie.

---

3 ラーメンが**食(た)べたいです**。

I want to eat ramen.

---

4 昨日(きのう)ケーキを**食(た)べすぎました**。

I ate too much cake yesterday.

ます形(けい)　Masu-form　[V-ます]

Group 1 (U-verbs)

辞書形(じしょけい) Dictionary Form			ます形(けい) Masu-form	
てつだ**う**	tetsuda**u**	➡	てつだ**い**ます	tetsuda**i**masu
か**く**	ka**ku**	➡	か**き**ます	ka**ki**masu
いそ**ぐ**	iso**gu**	➡	いそ**ぎ**ます	iso**gi**masu
はな**す**	hana**su**	➡	はな**し**ます	hana**shi**masu
し**ぬ**	shi**nu**	➡	し**に**ます	shi**ni**masu
よ**む**	yo**mu**	➡	よ**み**ます	yo**mi**masu
かえ**る**	kae**ru**	➡	かえ**り**ます	kae**ri**masu

Group 2 (Ru-verbs)

辞書形(じしょけい) Dictionary Form			ます形(けい) Masu-form	
たべ**る**	tabe**ru**	➡	たべ**ます**	tabe**masu**
ね**る**	ne**ru**	➡	ね**ます**	ne**masu**
み**る**	mi**ru**	➡	み**ます**	mi**masu**

Group 3 (Irregular Verbs)

辞書形(じしょけい) Dictionary Form			ます形(けい) Masu-form	
する	**suru**	➡	**します**	**shimasu**
くる	**kuru**	➡	**きます**	**kimasu**

Let's Practice!

Track 16

Starting from the Dictionary Form, make the Masu-form.

Dictionary Form	Meaning	Group	Masu-form
荷物(にもつ)を持(も)つ	carry one's bag	1	
手伝(てつだ)う	help	1	
貸(か)す	lend	1	
席(せき)をかわる	switch seats	1	
払(はら)う	pay	1	
取(と)る	get, take	1	
お金(かね)をおろす	withdraw cash	1	
遊(あそ)ぶ	play, have fun	1	
働(はたら)く	work	1	
犬(いぬ)を飼(か)う	have a dog	1	
迎(むか)えに行(い)く	pick someone up	1	
電気(でんき)をつける	turn on the lights	2	
閉(し)める	close	2	
開(あ)ける	open	2	
片付(かたづ)ける	tidy up	2	
コショウをかける	sprinkle with pepper	2	
わさびをつける	put wasabi on (something)	2	
予約(よやく)する	reserve	3	
注文(ちゅうもん)する	order	3	
買(か)ってくる	go and buy	3	

Sentence Pattern 1　ます形(けい)を使(つか)った表現(ひょうげん)　Expressions Using Masu-form

荷物(にもつ)を持(も)ちましょうか。

Shall I carry your bag(s)?

NOTE　[V-~~ます~~] + ましょうか (Shall I ...)

Expression used when offering assistance, it meaning "Do you want me to do something for you?". Also used to invite someone to do something, such as in コーヒーを**飲(の)みましょうか** (Shall we drink a cup of coffee?).

Ex.　A：荷物(にもつ)を**持(も)ちましょうか。**
B：あ、すみません。お願(ねが)いします。

> A: Shall I carry that bag (for you)?
> B: Oh, thank you. Please.

Practice A　＿＿＿＿＿ましょうか。

Let's try to speak using [V-~~ます~~] + ましょうか.

Track 18

Ex.　荷物(にもつ)を持(も)ち**ましょうか。**

Ex. 荷物(にもつ)を持(も)つ carry one's bag(s)	①何(なに)か手伝(てつだ)う help with something	②飲(の)み物(もの)を買(か)ってくる go and buy a drink
③電気(でんき)をつける turn on the lights	④ドアを閉(し)める close the door	⑤窓(まど)を開(あ)ける open the window

B Let's practice using phrases ①-⑤ in a conversation.

Ex. A：かさを貸しましょうか。
B：あ、すみません。ありがとうございます。
／あ、大丈夫です。ありがとうございます。

A: Shall I lend you an umbrella?
B: Oh, thank you.
/ I'm fine, but thank you anyway.

Ex. かさを貸す lend you an umbrella	①席をかわる switch seats	②メールで送る send by email
③お茶を入れる make tea	④部屋を片付ける tidy up a room	⑤ケーキを切る cut a cake

C You are planning to hold a birthday party for Tanaka-san. Choose what you will do from the "to-do list" and explain why.

To-do list

1．店を予約する
make reservations at a restaurant
2．田中さんにメールする
email Tanaka-san
3．ビールを買う
buy beer
4．プレゼントを選ぶ
choose a present
5．花を買う
buy flowers
6．ケーキを注文する
order a cake
7．カードを準備する
prepare a card
8．Make your own.

Ex. A：私が田中さんにメールしましょうか。時間がありますから。
B：お願いします。じゃあ、私が店を予約しましょうか。
いいレストランを知っていますから。

～から。 Put "から" at the end of the sentence when giving a reason. (for doing something)／
じゃあ then／知っています I know

Sentence Pattern 2 ます形(けい)を使(つか)った表現(ひょうげん) Expressions Using Masu-form

新宿(しんじゅく)に映画(えいが)を見(み)に行(い)きます。

I'll go to Shinjuku to see a movie.

NOTE [V-~~ます~~] + に行(い)きます (= will go to [place] to do ...)
Expression used to show the destination of movement. Also used with movement verbs like [V-~~ます~~] + に来(き)ます (= will come to [place] to do...), [V-~~ます~~] + に帰(かえ)ります (= will return [place] to do...).

Ex. A：お出(で)かけですか。
B：新宿(しんじゅく)に映画(えいが)を**見(み)に行(い)きます。**

A: Are you going out?
B: I'm going to Shinjuku to see a movie.

＿＿＿＿＿＿ に ＿＿＿＿＿＿ に行(い)きます。
Let's try to speak using [Place] に + [V-~~ます~~] + に行(い)きます.

Ex. 新宿(しんじゅく)に映画(えいが)を見(み)に行(い)きます。

新宿(しんじゅく) Shinjuku Ex. ---------- 映画(えいが)を見(み)る see a movie	大使館(たいしかん) embassy ① ---------- ビザを取(と)る apply for a visa	入管(にゅうかん) the immigration office ② ---------- ビザの更新(こうしん)をする renew a visa
渋谷(しぶや) Shibuya ③ ---------- 飲(の)む drink (alcohol)	友(とも)だちのうち a friend's house ④ ---------- 遊(あそ)ぶ have fun	スーパー the supermarket ⑤ ---------- くだものを買(か)う buy fruit

Let's practice using phrases ①-⑤ in a conversation.

Ex. A：お出(で)かけですか。

B：空港(くうこう)に両親(りょうしん)を迎(むか)えに行(い)きます。

A：そうですか。いってらっしゃい。

> A: Are you going out?
> B: I'm going to the airport to pick up my parents.
> A: I see. Have a safe trip.

空港(くうこう) airport	コンビニ convenience store	郵便局(ゆうびんきょく) post office
Ex. 両親(りょうしん)を迎(むか)える pick up one's parents	① 電気代(でんきだい)を払(はら)う pay a utility bill	② 荷物(にもつ)を出(だ)す send a package
区役所(くやくしょ) ward office	銀行(ぎんこう) a bank	秋葉原(あきはばら) Akihabara
③ 住民票(じゅうみんひょう)を取(と)る get a residence card	④ お金(かね)をおろす withdraw cash	⑤ フィギュアを探(さが)す look for figurines

Invite your partner to do something together with you and set a date.

Ex. A：Bさん、来週(らいしゅう)の水曜日(すいようび)に鎌倉(かまくら)に写真(しゃしん)を撮(と)りに行(い)きませんか。

B：すみません、来週(らいしゅう)の水曜日(すいようび)は大使館(たいしかん)にビザを取(と)りに行(い)きます。

A：そうですか。じゃあ、来週(らいしゅう)の土曜日(どようび)はどうですか。

B：来週(らいしゅう)の土曜日(どようび)は大丈夫(だいじょうぶ)です。行(い)きましょう。

鎌倉(かまくら) Kamakura／写真(しゃしん)を撮(と)る take a photo／すみません Excuse me.／～はどうですか How about ...／大丈夫(だいじょうぶ) okay／～ましょう Let's ...

Sentence Pattern 3 ます形を使った表現 Expressions Using Masu-form

ラーメンが**食べたいです**。

I want to eat ramen.

NOTE **[V-~~ます~~] + たいです** (= want to ...)
Used to express the speaker's wishes. Conjugation is the same as that of I-adjectives.
[V-~~ます~~] + たくないです (= don't want to do), **[V-~~ます~~] + たかったです** (= wanted to do), **[V-~~ます~~] + たくなかったです** (= didn't want to do)
が can be used instead of を as particle.
Ex. ラーメンを食べます (I eat ramen) → ラーメンが食べたいです (I want to eat ramen).
Particles other than を cannot be replaced with が. When being used in a negative sentence, を often changes to は.
Ex. ラーメンは食べたくないです (I don't want to eat ramen).

Ex. A：昼ご飯に何が**食べたいです**か。
B：おいしいラーメンが**食べたいです**。

A: What do you want to eat for lunch?
B: I want to eat tasty ramen.

＿＿＿＿＿＿ たいです。／＿＿＿＿＿＿ たくないです。

Track 24

Let's try to speak using [V-~~ます~~] + たいです.
Let's also try to speak using [V-~~ます~~] + たくないです.

Ex. ラーメンが食べ**たいです**。／ラーメンは食べ**たくないです**。

Ex. ラーメンを食べる eat ramen	①温泉に行く go to an onsen	②一人で旅行する travel alone
③日本で働く work in Japan	④犬を飼う have a dog	⑤富士山に登る climb Mount Fuji

＿＿＿たかったです。／＿＿＿たくなかったです。

Let's try to speak using words from practice A-1 and [V-~~ます~~] + たかったです.
Let's also try to speak using [V-~~ます~~] + たくなかったです.

Let's practice using phrases ①-⑤ in a conversation.

Ex. A：何(なに)が飲(の)みたいですか。
B：ビールが飲(の)みたいです。

A: What do you want to drink?
B: I want to drink beer.

何(なに)を飲(の)む what will you drink Ex. ビールを飲(の)む drink beer	カラオケで何(なに)を歌(うた)う what will you sing at karaoke ① 英語(えいご)の歌(うた)を歌(うた)う sing an English song	デートでどんな映画(えいが)を見(み)る what kind of movie will you see on your date ② コメディーを見(み)る see a comedy film
明日(あした)どこに行(い)く where will you go tomorrow ③ 水族館(すいぞくかん)に行(い)く go to the aquarium	いつ旅行(りょこう)する when will you travel ④ 次(つぎ)の休(やす)みに旅行(りょこう)する travel during the next holiday	誰(だれ)に会(あ)う who will you meet ⑤ 昔(むかし)の友(とも)だちに会(あ)う meet an old friend

Talk about what you wanted to and didn't want to do when you were a child or a student and explain your reasons. Also try to talk about what you want to and don't want to do next year.

Ex. 私(わたし)は子(こ)どものとき、野球(やきゅう)のチームに入(はい)りたかったです。
野球(やきゅう)が好(す)きでしたから。でも勉強(べんきょう)はしたくなかったです。
先生(せんせい)が怖(こわ)かったですから。

～のとき when (I) was／野球(やきゅう) baseball／チーム team／入(はい)る enter／怖(こわ)い scary

Sentence Pattern 4 ます形(けい)を使(つか)った表現(ひょうげん) Expressions Using Masu-form

昨日(きのう)ケーキを**食(た)べすぎました**。

I ate too much cake yesterday.

NOTE

[V-~~ます~~] + すぎます／[V-~~ます~~] +すぎました (= too much ...)
Used when the speaker feels something is excessive.

Ex. A：どうしたんですか。

B：昨日(きのう)ケーキを**食(た)べすぎました**。

> A: What happened?
> B : I ate too much yesterday cake.

__________ **すぎました。**
Let's try to speak using [V-~~ます~~] + すぎました.

Ex. ケーキを食(た)べ**すぎました**。

Ex. ケーキを食(た)べる eat cake	①ゲームをする play games	②お酒(さけ)を飲(の)む drink alcohol
③寝(ね)る sleep	④歌(うた)を歌(うた)う sing a song	⑤歩(ある)く walk

Let's practice using phrases ①-⑤ in a conversation.

Ex. A：どうしたんですか。
B：ちょっと今月(こんげつ)お金(かね)を使(つか)いすぎました。
A：えっ、大丈夫(だいじょうぶ)ですか。

A: What happened?
B: I spent a bit too much money this month.
A: Oh, are you okay?

ちょっと a bit: when a negative expression follows then it means "more than I thought"
えっ oh: an expression of surprise

Ex. 今月(こんげつ)お金(かね)を使(つか)う spend money this month	①働(はたら)く work	②運動(うんどう)する exercise
③コショウをかける sprinkle with pepper	④わさびをつける put wasabi on (something)	⑤カラオケで歌(うた)う sing at karaoke

Talk with your partner about something you did too much recently.

Ex. A：昨日(きのう)の晩(ばん)、ワインを飲(の)みすぎました。
B：そうなんですか。
私(わたし)もときどき飲(の)みすぎます。

ワイン wine／そうなんですか Is that so?／ときどき sometimes

Listening

Listen to the conversation between the man and woman and choose the correct answers.

Q1 What is the woman going to do?

1. She is going to make a payment.
2. She is going to withdraw money.
3. She is going to go shopping.

Q2 Why is the man tired?

1. He relaxed too much.
2. He rested too much.
3. He exercised too much.

Q3 What did the woman want to do when she was a student?

1. She wanted to go to Thailand.
2. She wanted to travel alone.
3. She wanted to go abroad.

Q4 What is the man going to do?

1. He is going to make pudding.
2. He is going to go buy tea.
3. He is going to prepare tea.

Shadowing

1. Recite the conversation together with the audio in a soft voice while looking at the text.
2. Recite the conversation together with the audio in a loud voice without looking at the text.

〈Conversation with a co-worker at the workplace〉

F_1：来週(らいしゅう)の土曜日(どようび)、うちでパーティーをするんですが、田中(たなか)さんも来(き)ませんか。

F_2：いいんですか。

F_1：ええ、ぜひ。

F_2：じゃあ、飲(の)み物(もの)を買(か)って行(い)きましょうか。

F_1：そうですね。ありがとうございます。お願(ねが)いします。

F_2：わかりました。

(Monday)

F_2：週末(しゅうまつ)はありがとうございました。

F_1：こちらこそ。おつかれさまでした。楽(たの)しかったですね。

F_2：ええ。でも、ちょっと飲(の)みすぎました。

F_1：あはは、そうでしたか。

F_2：はい。でも、またいっしょにパーティーをしたいですね。

F_1：ええ、ぜひ。

て形を使った表現①
けい　つか　ひょうげん

Expressions Using Te-form①

1 ゆっくり**話してください**。（話: はな）

Please speak slowly.

---

2 ひらがなで**書いていただけませんか**。（書: か）

Could you write in hiragana?

---

3 渋谷に**行って**、ご飯を**食べます**。（渋谷: しぶや、行: い、飯: はん、食: た）

I'll go to Shibuya and have some food.

---

4 今日、早く**帰ってもいいです**か。（今日: きょう、早: はや、帰: かえ）

May I leave early today?

て形(けい) Te-form [V-て]

Group 1 (U-verbs)

辞書形(じしょけい)	Dictionary Form		て形(けい)	Te-form
てつだ**う**	tetsuda**u**	➡	てつだ**って**	tetsuda**tte**
ま**つ**	ma**tsu**	➡	ま**って**	ma**tte**
かえ**る**	kae**ru**	➡	かえ**って**	kae**tte**
よ**む**	yo**mu**	➡	よ**んで**	yo**nde**
あそ**ぶ**	aso**bu**	➡	あそ**んで**	aso**nde**
し**ぬ**	shi**nu**	➡	し**んで**	shi**nde**
はな**す**	hana**su**	➡	はな**して**	hana**shite**
いそ**ぐ**	iso**gu**	➡	いそ**いで**	iso**ide**
か**く**	ka**ku**	➡	か**いて**	ka**ite**
※い**く**	i**ku**	➡	い**って**	i**tte**

Group 2 (Ru-verbs)

辞書形(じしょけい)	Dictionary Form		て形(けい)	Te-form
たべ**る**	tabe**ru**	➡	たべ**て**	tabe**te**
ね**る**	ne**ru**	➡	ね**て**	ne**te**
み**る**	mi**ru**	➡	み**て**	mi**te**

Group 3 (Irregular Verbs)

辞書形(じしょけい)	Dictionary Form		て形(けい)	Te-form
する	**suru**	➡	**して**	**shite**
くる	**kuru**	➡	**きて**	**kite**

●● Let's Practice! ●● Track 35

Starting from the Dictionary Form, make the Te-form.

Dictionary Form	Meaning	Group	Te-form
言(い)う	say	1	
急(いそ)ぐ	hurry	1	
送(おく)る	send	1	
待(ま)つ	wait	1	
飲(の)む	drink	1	
座(すわ)る	sit	1	
書(か)く	write	1	
貸(か)す	lend	1	
会(あ)う	meet	1	
歯(は)を磨(みが)く	brush one's teeth	1	
たばこを吸(す)う	smoke a cigarette	1	
迎(むか)えに行(い)く	pick someone up	1	
教(おし)える	tell, teach	2	
取(と)りかえる	exchange	2	
会議(かいぎ)に出(で)る	attend a meeting	2	
見(み)せる	show	2	
来(く)る	come	3	
連(つ)れてくる	bring someone	3	
連絡(れんらく)する	contact	3	
卒業(そつぎょう)する	graduate	3	

Sentence Pattern 1 て形を使った表現① Expressions Using Te-form①

ゆっくり**話してください。**

Please speak slowly.

NOTE **[V-て] + ください** (=Please ...)
Used to make a simple request, or casually instruct someone or encourage someone to do something.

Ex. A：すみません、ゆっくり**話してください。**
B：わかりました。

A: Excuse me, please speak slowly.
B: Okay.

Practice A ＿＿＿＿**てください。**
Let's try to speak using [V-て] + ください.

Track 37

Ex. ゆっくり話し**てください。**

Ex. ゆっくり話す speak slowly	①いっしょに来る come togther	②先に行く go first
③漢字を読む read kanji	④あとでメールする send email later	⑤ちょっと急ぐ hurry a bit

Let's practice using phrases ①-⑤ in a conversation.

Ex. A：すみません、<u>もう一度(いちど)言(い)って</u>ください。
B：はい、わかりました。

A: Excuse me, please say it one more time.
B: Okay, I will.

Ex. もう一度(いちど)言(い)う say one more time	①カタカナで書(か)く write in katakana	②連絡先(れんらくさき)を教(おし)える give one's contact information
③ちょっと待(ま)つ wait a little	④郵便(ゆうびん)で送(おく)る send by post	⑤しょうゆを取(と)る pass the soy sauce

Your friend has come to your house. Refer to the list and encourage your friend to do different things.

Ex. A：こんにちは。
B：あ、いらっしゃい。
　どうぞ入(はい)ってください。
A：おじゃまします。
B：どうぞスリッパをはいてください。
　・・・
A：じゃあ、そろそろ帰(かえ)ります。
B：そうですか。また来(き)てくださいね。

List

1．スリッパをはく
wear slippers
2．座(すわ)る
sit
3．お茶(ちゃ)を飲(の)む
drink tea
4．ケーキを食(た)べる
eat some cake
5．ゆっくりする
relax
6．Make your own.

いらっしゃい welcome／どうぞ please／
おじゃまします excuse me／そろそろ it's about time／また again

Sentence Pattern 2　て形(けい)を使(つか)った表現(ひょうげん)①　Expressions Using Te-form①

ひらがなで**書(か)いていただけませんか**。

Could you write in hiragana?

NOTE　**[V-て] + いただけませんか** (= Could you ...)
A more polite expression than ～てください. Used towards someone who is your senior or during formal occasions. **～ていただけますか** is also a polite expression that can be used for more simple requests.

Ex.　A：すみません、
ひらがなで**書(か)いていただけませんか**。
B：はい、わかりました。

A: Excuse me, could you write it in hiragana?
B: Sure.

__________**ていただけませんか。**
Let's try to speak using [V-て] + いただけませんか.

Ex.　<u>ひらがなで書(か)い</u>**ていただけませんか。**

Ex. ひらがなで書(か)く write in hiragana	①パンフレットを会社(かいしゃ)に送(おく)る send a pamphlet to a company	②トイレを貸(か)す let one use the toilet
③この漢字(かんじ)を読(よ)む read this kanji	④もう一度(いちど)言(い)う say something again	⑤宿題(しゅくだい)をみる check homework

Let's practice using phrases ①-⑤ in a conversation.

Ex. A：すみませんが、
写真(しゃしん)を撮(と)っていただけませんか。
B：はい、いいですよ。

A: Excuse me, could you please take a photo?
B: Yes, sure.

Ex. 写真(しゃしん)を撮る take a photo	①新(あたら)しいのと取(と)りかえる exchange something with a new one	②コピーする copy something
③データをメールで送(おく)る send the data by email	④あと１週間(しゅうかん)待(ま)つ wait another week	⑤近藤(こんどう)さんに連絡(れんらく)する contact Kondō-san

You are a company employee. Ask your senior co-worker for something.

Ex. A：ちょっといいですか。
B：はい、何(なん)ですか。
A：このメールをチェックしていただけませんか。
B：ええ、いいですよ。
A：すみません、助(たす)かります。

Something you want to ask to do

- このメールをチェックする
  check this email
- 携帯(けいたい)の充電器(じゅうでんき)を貸(か)す
  lend a mobile phone battery charger
- この漢字(かんじ)を読(よ)む
  read this kanji
- その資料(しりょう)を見(み)せる
  show me that document

ちょっといいですか Excuse me.／
助(たす)かります Thank you.

Sentence Pattern 3　て形(けい)を使(つか)った表現(ひょうげん)①　Expressions Using Te-form①

Track 42

渋谷(しぶや)に行(い)って、ご飯(はん)を食(た)べます。

I'll go to Shibuya and have some food.

NOTE　**[V-て]、[V-ます]** (= ... and ...)
The Te-form can be used to indicate the other of consecutive actions. Ideally, about two verbs should be linked with Te-form, like **[V-て]、[V-て]、[V-ます]**.
The tense is indicated at the end of the sentence.

Ex.　A :週末(しゅうまつ)、何(なに)をしますか。
B :渋谷(しぶや)に**行(い)って**、ご飯(はん)を**食(た)べます**。

A: What are you doing over the weekend?
B : I'll go to Shibuya and have some food.

Practice A　______て、______ます。／ ______て、______ました。　Track 43

Let's try to speak using [V-て]、[V-ます].
Let's also try to speak using [V-て]、[V-ました].

Ex.　渋谷(しぶや)に行(い)って、ご飯(はん)を食(た)べます。／渋谷(しぶや)に行(い)って、ご飯(はん)を食(た)べました。

渋谷(しぶや)に行(い)く go to Shibuya Ex. ご飯(はん)を食(た)べる have some food	友(とも)だちに会(あ)う meet a friend ① 映画(えいが)を見(み)る watch a movie	国(くに)に帰(かえ)る return to one's home country ② 仕事(しごと)を探(さが)す look for work
会議(かいぎ)に出(で)る attend a meeting ③ プレゼンをする give a presentation	歯(は)を磨(みが)く brush one's teeth ④ 寝(ね)る sleep	ケーキを買(か)う buy a cake ⑤ 帰(かえ)る go home

Let's practice using phrases ①-② in a conversation.

Ex. A：Bさん、これから何(なに)をしますか。
B：うちに帰(かえ)って、宿題(しゅくだい)をします。
A：そうですか。

> A: B-san, what are you going to do now?
> B: I'll go home and do my homework.
> A: I see.

Ex.	①	②
うちに帰(かえ)る go home	子(こ)どもを迎(むか)えに行(い)く go pick up one's child	カフェに行(い)く go to a café
宿題(しゅくだい)をする do homework	ご飯(はん)を作(つく)る cook a meal	少(すこ)し勉強(べんきょう)する study a little

Let's practice using phrases ①-② in a conversation.
Come up with your own answer for the parts on the dotted lines.

Ex. A：週末(しゅうまつ)、何(なに)をしましたか。
B：新宿(しんじゅく)に行(い)って、買(か)い物(もの)をしました。
それから、映画(えいが)を見(み)ました。

> A: What did you do over the weekend?
> B: I went to Shinjuku and did some shopping.
> After that I watched a movie.

Ex.	①	②
週末(しゅうまつ) weekend	昨日(きのう)の授業(じゅぎょう)のあと after class yesterday	この間(あいだ)の休(やす)み the recent holiday

Give a brief summary of your career to your partner.

Ex. 私(わたし)はアメリカの大学(だいがく)を卒業(そつぎょう)して、２年間(ねんかん)アメリカの銀行(ぎんこう)で働(はたら)きました。
2010年(ねん)に日本(にほん)に来(き)て、東京(とうきょう)で１年半(ねんはん)日本語(にほんご)を勉強(べんきょう)しました。

卒業(そつぎょう)する graduate ／～年間(ねんかん) ...years／１年半(ねんはん) one year and a half

Sentence Pattern 4 て形を使った表現① Expressions Using Te-form①

今日、早く**帰ってもいいですか。**

May I leave early today?

NOTE

[V-て] + もいいですか (=May I ...)

Used to ask permission for a particular action, or to ask whether something is permissible under particular circumstances.

Ex. A：あのー、今日、早く**帰ってもいいですか。**
B：ええ、いいですよ。

A: Excuse me, may I leave early today?
B: Yes, go ahead.

＿＿＿＿てもいいですか。

Let's try to speak using [V-て] + もいいですか.

Ex. 今日、早く帰って**もいいですか。**

Ex. 今日、早く帰る leave early today	①トイレに行く go to the toilet	②英語で話す speak in English
③充電器を借りる borrow a charger	④今晩、電話する make a call tonight	⑤ちょっと聞く ask something

Practice B Let's practice using phrases ①-⑤ in a conversation.

Track 48

Ex. A：あの一、友（とも）だちをパーティーに連（つ）れてきてもいいですか。

B：ええ、どうぞ。

／すみません、ちょっと…。

A: Excuse me, can I bring a friend to the party?

B: Yes, sure. / Sorry, no...

Ex. 友（とも）だちをパーティーに連（つ）れてくる bring a friend to a party	①写真（しゃしん）を撮（と）る take a photo	②ここに座（すわ）る sit here
③中（なか）に入（はい）る enter	④ここに荷物（にもつ）を置（お）く leave/put the luggage here	⑤このパソコンを使（つか）う use this PC

Practice C Talk to your partner about what you can and can't do in Japan, your country and your friend's country. Use the list as a reference.

List

1. ８歳（さい）の子（こ）ども／一人（ひとり）で学校（がっこう）に行（い）く
   eight-year-old children/go to school alone
2. 18歳（さい）の男（おとこ）の人（ひと）／結婚（けっこん）する
   18-year old man/gets married
3. レストランでたばこを吸（す）う
   smoke cigarettes at a restaurant
4. くつで部屋（へや）の中（なか）に入（はい）る
   enter the room with shoes
5. 外（そと）でお酒（さけ）を飲（の）む
   drink alcohol outside
6. 電車（でんしゃ）の中（なか）で電話（でんわ）する
   make a call on the train

Ex. A：Bさんの国（くに）では、８歳（さい）の子（こ）どもは一人（ひとり）で学校（がっこう）に行（い）ってもいいですか。

B：はい、いいです／いいえ、だめです。Aさんの国（くに）では、どうですか。

～では in ...／だめ no good

Listening

Listen to the conversation between the man and woman and choose the correct answers.

Q1 Where did the woman do her homework?

1. She did it at the library.
2. She did it at school.
3. She did it at home.

Q2 What will the man write?

1. He will write his name in katakana.
2. He will write his name in English letters.
3. He will write his name in kanji.

Q3 How will the woman send the documents?

1. She will send them by email.
2. She will send them as PDF files.
3. She will send them by post.

Q4 Where are the man and woman now?

1. They are at the man's house.
2. They are at the woman's house.
3. They are at school.

Shadowing

1. Recite the conversation together with the audio in a soft voice while looking at the text.
2. Recite the conversation together with the audio in a loud voice without looking at the text.

〈Conversation with a co-worker at the workplace〉

F：今(いま)、ちょっと話(はな)してもいいですか。

M：これから会議(かいぎ)がありますが、何(なん)ですか。

F：明日(あした)のプレゼンなんですが…。

M：ああ、すみません。後(あと)でもいいですか。

F：はい。じゃあ、後(あと)でデータをチェックしていただけませんか。

M：はい、わかりました。あとでチェックします。

F：すみません。よろしくお願(ねが)いします。

M：わかりました。

て形を使った表現②
けい　つか　ひょうげん

Expressions Using Te-form②

1 今、日本語を**勉強しています**。
いま　にほんご　べんきょう

I'm studying Japanese now.

---

2 新宿で**働いています**。
しんじゅく　はたら

I'm working in Shinjuku.

---

3 10年前、パリに**住んでいました**。
ねんまえ　す

I used to live in Paris ten years ago.

---

4 **まだ**昼ご飯を**食べていません**。
ひる　はん　た

I haven't eaten lunch yet.

て形(けい)　Te-form　[V-て]

Let's Practice!　Track 54

Starting from the Dictionary Form, make the Te-form.

Dictionary Form	Meaning	Group	Te-form
ご飯(はん)を作(つく)る	cook a meal	1	
聞(き)く	ask, listen	1	
持(も)つ	have, carry, hold	1	
頼(たの)む	ask, request	1	
洗(あら)う	wash	1	
働(はたら)く	work	1	
住(す)む	live	1	
知(し)る	know	1	
通(かよ)う	commute, frequent	1	
お風呂(ふろ)に入(はい)る	take a bath	1	
宿題(しゅくだい)をやる	do homework	1	
資料(しりょう)を直(なお)す	correct a document	1	
レポートを出(だ)す	submit a report	1	
待(ま)つ	wait	1	
買(か)う	buy	1	
話(はな)す	speak, talk	1	
読(よ)む	read	1	
アイロンをかける	do ironing	2	
勤(つと)める	work (for)	2	

Dictionary Form	Meaning	Group	Te-form
決(き)める	decide	2	
片付(かたづ)ける	tidy up	2	
食(た)べる	eat	2	
寝(ね)る	sleep	2	
結婚(けっこん)する	get married	3	
更新(こうしん)する	renew	3	
掃除(そうじ)する	clean	3	
電話(でんわ)する	call	3	
注文(ちゅうもん)する	order	3	
来(く)る	come	3	

Review how to make the Te-form. **⇒ See p.46**

Sentence Pattern 1 て形を使った表現② Expressions Using Te-form②

今、日本語を**勉強しています**。

I'm studying Japanese now.

NOTE **[V-て] + います** (= be -ing ...)

Shows that an action is ongoing at a particular point in time. Also used to express activities that are repeated, like 毎日ジョギングしています (I go running every day). Not used in cases such as "I'm coming."

Ex. A：今、何を**しています**か。

B：日本語を**勉強しています**。

A: What are you doing now?
B: I'm studying Japanese.

＿＿＿＿ています。
Let's try to speak using [V-て] + います.

Ex. 今、日本語を勉強し**ています。**

Ex. 日本語を勉強する study Japanese	①友だちと話す talk with a friend	②部屋を片付ける tidy one's room
③お客さんを待つ wait for guests	④お皿を洗う wash the dishes	⑤本を読む read a book

Let's practice using phrases ①-⑤ in a conversation.

Ex. A：もしもし、Bさん。
今(いま)、何(なに)をしていますか。
B：今(いま)、駅(えき)で友(とも)だちを待(ま)っています。
A：じゃあ、またあとで電話(でんわ)します。

A: Hello, B-san, what are you doing now?
B: I'm waiting for a friend at the station.
A: Okay, then I'll call again later.

Ex. 駅(えき)で友(とも)だちを待(ま)つ wait for a friend at the station	①部屋(へや)を掃除(そうじ)する clean one's room	②カラオケをする do karaoke
③アイロンをかける do ironing	④ご飯(はん)を作(つく)る cook a meal	⑤渋谷(しぶや)で飲(の)む drink (alcohol) in Shibuya

Talk about what you are doing recently with a friend you haven't met for a long time.

Ex. A：久(ひさ)しぶりですね。
最近(さいきん)どうしていますか。
B：元気(げんき)でやっていますよ。
最近(さいきん)よくゴルフをしています。
A：そうですか。私(わたし)は・・・

久(ひさ)しぶり long time no see／最近(さいきん)どうしていますか How are you doing these days?／
元気(げんき)でやっています I'm doing good.

Sentence Pattern 2 て形を使った表現② Expressions Using Te-form②

新宿で**働いています**。

I'm working in Shinjuku.

NOTE

[V-て] + います

Used to express a situation or status. In cases such as the following, the **[V-て] +います** form is used.

[place] に住んでいます (to live in.../be living in), **結婚しています** (be married), **[place / company] で働いています** (be working in...), **[company] に勤めています** (be working at...), **[occupation] をしています** (be working as...), **[thing]を持っています** (to have...), **～を知っています** (know ...). The negative form is **[V-て] + いません.**

Ex. **結婚していません** (am not married). However the negative form of 知っています is **知りません.**

Ex. A：どこで**働いています**か。

B：新宿で**働いています**。

A: Where are you working?
B: I'm working in Shinjuku.

Practice A

＿＿＿＿＿**ています**。

Let's try to speak using [V-て] + います.

Ex. 新宿で働く work in Shinjuku	①ABC銀行に勤める work for ABC Bank	②エンジニアをする work as an engineer
③埼玉に住む live in Saitama	④結婚する be married	⑤運転免許を持つ have a driver's license

Translate the following English questions into Japanese and then ask them to your partner.

Ex. A :Where do you live? ⇒ どこに住(す)んでいますか。

B :吉祥寺(きちじょうじ)に住(す)んでいます。

①What do you do? (What is your job?) ⇒ ______

②Where do you work? ⇒ ______

③Are you married? ⇒ ______

④Do you have a car? ⇒ ______

⑤Do you know this restaurant? ⇒ ______

⑥(Make your own.) ⇒ ______

Let's introduce a family member or friend to your partner.

Ex. 私(わたし)の弟(おとうと)はシカゴに住(す)んでいます。大学(だいがく)で経済(けいざい)を勉強(べんきょう)しています。
車(くるま)を持(も)っています。結婚(けっこん)していません。

シカゴ Chicago／経済(けいざい) economy

Sentence Pattern 3 て形を使った表現② Expressions Using Te-form②

10年前、パリに**住んでいました。**

I used to live in Paris ten years ago.

NOTE

[V-て] + いました (= used to ...)

1) a continuous situation occurred in the past

2) a continuous action occurred in the past

Ex. 1) 10年前、パリに**住んでいました。**

2) 昨日の夜10時ごろ、映画を**見ていました。**

1) I used to live in Paris ten years ago.

2) I was watching a movie about 10 p.m. last night.

Practice **A** ＿＿＿＿＿**ていました。**

Track 62

Let's try to speak using [V-て] + いました.

Ex. 10年前、パリに住ん**でいました。**

10年前 ten years ago Ex. パリに住む live in Paris	昨日の夜10時ごろ about 10 p.m. last night ① 電話する call	昨日の夜8時ごろ about 8 p.m. last night ② お風呂に入る take a bath
5年前 five years ago ③ アメリカの会社に勤める work for an American company	2年前 two years ago ④ 韓国で働く work in South Korea	先月まで until last month ⑤ ジムに通う go to the gym

Let's practice using phrases ①-⑤ in a conversation.
Come up with your own answer for the parts on the dotted lines.

Ex.

A：昨日の夜9時ごろ、何をしていましたか。
B：私は勉強していました。Aさんは？
A：私は寝ていました。

> A: What were you doing about 9 p.m. last night?
> B: I was studying. How about you?
> A: I was sleeping.

Ex. 昨日の夜9時ごろ about 9 p.m. last night	①先週の日曜日 last Sunday	②去年の今ごろ about this time last year
③今朝6時ごろ about 6 a.m. this morning	④3年前の今ごろ this time 3 years ago	⑤日本に来るまえ before caming to Japan

Chose one from five years ago/10 years ago/20 years ago/30 years ago and talk to your partner about the memories of that period.

Ex.

10年前、私は大学に通っていました。
そのころ、夜はアルバイトをしていました。
学校のあと、３時間ぐらい働いていました。とても忙しかったです。
でも、給料は安かったです。

> そのころ about that time／アルバイト part-time job／
> 〜のあと after ...／忙しい busy／でも but／給料 salary

Sentence Pattern 4 て形を使った表現② Expressions Using Te-form②

まだ昼ご飯を食べていません。

I haven't eaten lunch yet.

まだ＋[V-て]＋いません (= haven't ... yet)
Used when a particular action that is planned is not yet complete. When completed, use **もう〜ました** (already). Ex.**もう食べました**(I already ate.)

Ex. A：もう昼ご飯を食べましたか。
B：いいえ、**まだ食べていません。**

A: Did you have lunch already?
B: No, I haven't eaten yet.

Practice A
まだ＿＿＿＿＿ていません。
Let's try to speak using まだ＋[V-て]＋いません.

Ex. まだ昼ご飯を食べていません。

Ex. 昼ご飯を食べる have lunch	①チケットを買う buy a ticket	②ビザを更新する renew one's visa
③レポートを出す submit a report	④予約をキャンセルする cancel a reservation	⑤スケジュールを決める decide a schedule

Practice B Let's practice using phrases ①-⑤ in a conversation.

Track 66

Ex. A：Bさん、もう会議室(かいぎしつ)を予約(よやく)しましたか。
B：はい、(もう)しました。
／いいえ、まだしていません。急(いそ)いでします。

A: B-san, did you already reserve the meeting room?
B: Yes, I (already) did. / No, I haven't yet. I will do it right away.

Ex. 会議室(かいぎしつ)を予約(よやく)する reserve a meeting room	①宿題(しゅくだい)をやる do homework	②本(ほん)を注文(ちゅうもん)する order a book
③資料(しりょう)を作(つく)る prepare documents	④資料(しりょう)を直(なお)す correct a document	⑤JLPTの申(もう)し込(こ)みをする apply for the JLPT

Practice C You will entertain a client at the end of this month. Confirm with your younger colleague whether the preparations have been completed using the to-do list.

To-do list	Your younger colleague
好(す)きな食(た)べ物(もの)を聞(き)く ask about one's favorite food	Done ／ Not yet
お店(みせ)を決(き)める decide on a restaurant	Done ／ Not yet
ホテルを予約(よやく)する reserve a hotel	Done ／ Not yet
通訳(つうやく)を頼(たの)む request an interpreter	Done ／ Not yet

Ex. A：もう取引先(とりひきさき)に連絡(れんらく)しましたか。
B：いいえ、まだしていません。
A：えー、そうなんですか。
B：すみません。急(いそ)いで連絡(れんらく)します。

取引先(とりひきさき) client／えー、そうなんですか Oh, really?／急(いそ)いで immediately

Listening

Listen to the conversation between the man and woman and choose the correct answers.

Q1 Why doesn't the man drive?

1. Because he doesn't have a driver's license.
2. Because he doesn't have a car.
3. Because he doesn't know the roads too well.

＊運転免許(うんてんめんきょ) driver's license

Q2 Where was the man when the earthquake struck?

1. He was in a tall building.
2. He was sleeping on the train.
3. He was at home.

Q3 Why does the woman know kanji?

1. Because she studied Chinese.
2. Because she is Chinese.
3. Because she studied Japanese in college.

Q4 What is the man going to do?

1. He's going to do nothing.
2. He's going to reserve the meeting room.
3. He's going to cancel the reservation for the meeting room.

Shadowing

1. Recite the conversation together with the audio in a soft voice while looking at the text.
2. Recite the conversation together with the audio in a loud voice without looking at the text.

〈Conversation with a stranger at a friend's party〉

F：お仕事(しごと)は何(なに)をしていますか。

M：銀行員(ぎんこういん)です。

F：そうですか。私(わたし)も銀行(ぎんこう)で働(はたら)いています。
前(まえ)は保険会社(ほけんがいしゃ)で営業(えいぎょう)をしていましたけど…。

M：そうですか。私(わたし)は大学(だいがく)を卒業(そつぎょう)して、すぐ今(いま)の会社(かいしゃ)に入(はい)りました。

F：仕事(しごと)は毎日(まいにち)忙(いそが)しいですか。

M：ええ。たいてい9時(じ)ぐらいまで仕事(しごと)しています。

F：大変(たいへん)ですね。

M：あ、これ、もう食(た)べましたか。

F：いいえ、まだ食(た)べていません。

M：じゃあ、食(た)べましょう。

保険会社(ほけんがいしゃ) insurance company／**営業**(えいぎょう) sales／**すぐ** right away／**たいてい** usually

Have a Try! （UNIT 1 – UNIT 4）

Use the sentence patterns indicated by the ✓ for speech practice and role-playing.

① **Speech**

What is your job? What time do you arrive in the office? Discuss your daily schedule.

✓[V-る]＋まえに　✓[V-~~ます~~]＋に行きます
✓[V-て]＋います　✓[V-て]、～

Ex. 私はシステムエンジニアをしています。今、新宿で働いています。毎日6時に起きて、7時ごろうちを出て、仕事に行きます。6時に会社が終わります。毎日、うちに帰るまえにジムに行きます。・・・

システムエンジニア systems engineer／**うちを出る** leave the house／**ジム** gym

② **Speech**

Talk about your friends. Where did you meet your friends? What did you do with them? What are your friends doing now?

✓[V-~~ます~~]＋に行きます　✓[V-て]、～　✓[V-て]＋います

Ex. 私はカイさんについて話します。カイさんと私は、コンビニのアルバイトで会いました。仕事のあと、よくいっしょに飲みに行きました。カイさんは今、国に帰って、大学院で勉強しています。・・・

～について about／**～のあと** after／**よく～** often／**大学院** graduate school

③ Role-playing

A: Ask B-san about his/her weekend plans and ask if you can join.

✓ [V-~~ます~~] ＋たいです

✓ [V-て] ＋もいいですか

B: You plan to go out this weekend. Tell A-san where you are going and your purpose.

✓ [V-~~ます~~] ＋に行(い)きます

✓ [V-る] ＋つもりです

Ex.

A：Bさん、週末(しゅうまつ)何(なに)をしますか。

B：図書館(としょかん)に本(ほん)を借(か)りに行(い)くつもりです。

A：私(わたし)も借(か)りたいです。一緒(いっしょ)に行(い)ってもいいですか。

・・・

週末(しゅうまつ) weekend／**図書館**(としょかん) library／**借りる**(か) borrow

た形を使った表現
Expressions Using Ta-form

1 富士山に**登ったことがあります**。

I have climbed Mount Fuji.

---

2 バスで**行ったほうがいいです**。

It's better to go by bus.

---

3 映画を**見たり**、買い物を**したりします**。

I do things like watching movies and going shopping.

---

4 お金が**あったら**、世界中を旅行します。

If I had the money, I would travel around the world.

た形(けい) Ta-form [V-た]

Group 1 (U-verbs)

辞書形(じしょけい) Dictionary Form			た形(けい) Ta-form	
てつだ**う**	tetsuda**u**	➡	てつだ**った**	tetsuda**tta**
ま**つ**	ma**tsu**	➡	ま**った**	ma**tta**
かえ**る**	kae**ru**	➡	かえ**った**	kae**tta**
よ**む**	yo**mu**	➡	よ**んだ**	yo**nda**
あそ**ぶ**	aso**bu**	➡	あそ**んだ**	aso**nda**
し**ぬ**	shi**nu**	➡	し**んだ**	shi**nda**
はな**す**	hana**su**	➡	はな**した**	hana**shita**
いそ**ぐ**	iso**gu**	➡	いそ**いだ**	iso**ida**
か**く**	ka**ku**	➡	か**いた**	ka**ita**
※い**く**	**iku**	➡	い**った**	**itta**

Group 2 (Ru-verbs)

辞書形(じしょけい) Dictionary Form			た形(けい) Ta-form	
たべ**る**	tabe**ru**	➡	たべ**た**	tabe**ta**
ね**る**	ne**ru**	➡	ね**た**	ne**ta**
み**る**	mi**ru**	➡	み**た**	mi**ta**

Group 3 (Irregular Verbs)

辞書形(じしょけい) Dictionary Form			た形(けい) Ta-form	
する	**suru**	➡	**した**	**shita**
くる	**kuru**	➡	**きた**	**kita**

Starting from the Dictionary Form, make the Ta-form.

Dictionary Form	Meaning	Group	Ta-form
登(のぼ)る	climb	1	
急(いそ)ぐ	hurry	1	
学校(がっこう)をサボる	cut class	1	
習(なら)う	learn	1	
泊(と)まる	stay	1	
道(みち)に迷(まよ)う	get lost	1	
謝(あやま)る	apologize	1	
熱(ねつ)を測(はか)る	check one's temperature	1	
横(よこ)になる	lie down	1	
薬(くすり)を飲(の)む	take medicine	1	
見(み)つかる	be found	1	
飲(の)みに行(い)く	go for a drink	1	
年(とし)を取(と)る	become older	1	
風邪(かぜ)をひく	catch a cold	1	
ストレスがたまる	be stressed out	1	
準備(じゅんび)ができる	be ready	2	
寝(ね)る	sleep	2	
仕事(しごと)を辞(や)める	quit one's job	2	
町(まち)をぶらぶらする	stroll around town	3	
友(とも)だちが来(く)る	a friend comes	3	

Sentence Pattern 1 た形(けい)を使(つか)った表現(ひょうげん) Expressions Using Ta-form

富士山(ふじさん)に登(のぼ)ったことがあります。

I have climbed Mount Fuji.

NOTE **[V-た] + ことがあります**(= have done ...)
[V-た] +ことがありません(= have never done ...)
Used to explain whether one has a certain experience or not. Not used with past tense, as in ～たことがありました.

Ex. A :富士山(ふじさん)に**登(のぼ)ったことがありますか**。
B :はい、あります。／いいえ、ありません。

A: Have you ever climbed Mount Fuji?
B: Yes, I have. / No, I haven't.

＿＿＿＿＿**たことがあります**。／＿＿＿＿＿**たことがありません**。
Let's try to speak using [V-た] + ことがあります.
Let's also try to speak using [V-た] + ことがありません.

Track 74

Ex. 富士山(ふじさん)に登(のぼ)っ**たことがあります**。／富士山(ふじさん)に登(のぼ)っ**たことがありません**。

Ex. 富士山(ふじさん)に登(のぼ)る climb Mount Fuji	①温泉(おんせん)に入る enter a hot spring	②ペットを飼(か)う have a pet
③日本(にほん)の映画(えいが)を見(み)る watch a Japanese movie	④日本(にほん)で運転(うんてん)する drive in Japan	⑤学校(がっこう)をサボる cut class

Let's practice using phrases ①-⑤ in a conversation.

Ex. A：納豆(なっとう)を食(た)べたことがありますか。
B：はい、あります。／いいえ、ありません。

A: Have you ever eaten natto?
B: Yes, I have. / No, I haven't.

Ex. 納豆(なっとう)を食(た)べる eat natto	①楽器(がっき)を習(なら)う learn to play an instrument	②有名人(ゆうめいじん)に会(あ)う meet a celebrity
③日本人(にほんじん)のうちに泊(と)まる stay at a house of a Japanese family	④ダイエットする go on a diet	⑤日本(にほん)で道(みち)に迷(まよ)う get lost in Japan

Talk to your partner about your rare and interesting experiences you've had.

Ex. A：私(わたし)はハリウッド・スターに会(あ)ったことがあります。
B：えっ、いつですか。
A：去年(きょねん)の夏(なつ)です。
B：どこでですか。
A：LAのカフェで。Bさんは会(あ)ったことがありますか。
B：いいえ、ありません。

ハリウッド・スター Hollywood star／去年(きょねん) last year／夏(なつ) summer／カフェ café

Sentence Pattern 2 た形を使った表現 Expressions Using Ta-form

バスで行ったほうがいいです。

It's better to go by bus.

NOTE [V-た] + ほうがいいです (= It's better to ...)
Used when you want to strongly recommend something such as an opinion or some advice.

Ex.
A :駅まではバスで行ったほうがいいですよ。
B :じゃあ、そうします。

A: It's better to take the bus to the station.
B : Okay, I will.

Practice A ＿＿＿＿＿＿たほうがいいです。
Let's try to speak using [V-た] + ほうがいいです.

Track 77

Ex. バスで行ったほうがいいです。

Ex. バスで行く go by bus	①店の人に聞く ask the shop staff	②友だちに相談する ask one's friend
③少し寝る sleep a bit	④早く謝る apologize quickly	⑤急ぐ hurry

Practice B Let's practice using phrases ①-⑤ in a conversation.

Track 78

Ex. A：どうしたんですか。

B：ちょっとだるいんです。

A：そうですか。

じゃあ、早(はや)く帰(かえ)ったほうがいいですよ。

> A: What happened?
> B: I feel a little sluggish.
> A: I see. Then, you'd better to go home early.

Ex. 早(はや)く帰(かえ)る go home early	①薬(くすり)を飲(の)む take medicine	②少(すこ)し横(よこ)になる lie down for a while
③病院(びょういん)に行(い)く go to the hospital	④熱(ねつ)を測(はか)る check one's temperature	⑤明日(あした)、休(やす)む take a day off tomorrow

Practice C You are traveling to your friend's country for the first time. Refer to the list and ask your friend what he/she recommends.

Ex. A：今度(こんど)、ブラジルに行(い)きます。

おすすめの場所(ばしょ)はありますか。

B：イグアスの滝(たき)は絶対(ぜったい)行(い)ったほうがいいですよ。

虹(にじ)がとてもきれいですから。

A：そうですか。

じゃあ、おすすめの・・・

List

- 場所(ばしょ) place
- 食(た)べ物(もの) food
- 飲(の)み物(もの) drinks
- お土産(みやげ) souvenir
- アクティビティ activities

今度(こんど) next time／ブラジル Brazil／おすすめ recommendation
イグアスの滝(たき) Iguazu Falls／絶対(ぜったい) definitely／虹(にじ) rainbow

Sentence Pattern 3 た形(けい)を使(つか)った表現(ひょうげん) Expressions Using Ta-form

映画(えいが)を見(み)たり、買(か)い物(もの)をしたりします。

I do things like watchig movies and going shopping.

NOTE **[V-た] + り、[V-た] + りします** (= do things like -ing and -ing)
Used to cite two examples of an action when there are several actions to choose from
The tense and other aspects of the sentence appear at its end.
Ex. 映画を見たり買い物をしたりしました／しています／してください／しましょう
(I did/ I am doing/ Please do/ Let's do things like seeing a movie and shopping.)

Ex. A：休(やす)みの日(ひ)はいつも何(なに)をしますか。
B：映画(えいが)を**見たり**、買(か)い物(もの)を**したりします**。

> A: What do you usually do on your days off?
> B: I do things like watchig movies and going shopping.

＿＿＿＿＿**たり**、＿＿＿＿＿**たりします**。／＿＿＿＿＿**たり**、＿＿＿＿＿**たりしました**。
Let's try to speak using [V-た] + り、[V-た] + りします.
Let's also try to speak using [V-た] + り、[V-た] + りしました.

Track 80

Ex. 映画(えいが)を見**たり**、買(か)い物(もの)をし**たりします**。／映画(えいが)を見**たり**、買(か)い物(もの)をし**たりしました**。

映画(えいが)を見(み)る watch a movie Ex. ---------- 買(か)い物(もの)をする go shopping	日本語(にほんご)を勉強(べんきょう)する study Japanese ① ---------- 本(ほん)を読(よ)む read a book	友(とも)だちに会(あ)う meet a friend ② ---------- 飲(の)みに行(い)く go for a drink
ジムに行(い)く go to the gym ③ ---------- 自転車(じてんしゃ)に乗(の)る ride one's bicycle	洗濯(せんたく)する do the laundry ④ ---------- 部屋(へや)を掃除(そうじ)する clean one's room	町(まち)をぶらぶらする stroll around town ⑤ ---------- 写真(しゃしん)を撮(と)る take a photo

Let's practice using phrases ①-③ in a conversation.
Come up with your own answer for the parts on the dotted lines.

Ex. A：Bさんは、いつも週末(しゅうまつ)何(なに)をしますか。
B：そうですね…。友(とも)だちに会(あ)ったり、ジムに行(い)ったりします。Aさんは？
A：私(わたし)は本(ほん)を読(よ)んだり、ゲームをしたりします。／私(わたし)も友(とも)だちに会(あ)ったり、運動(うんどう)したりします。

A: B-san, what do you usually do during the weekends?
B: Let's see... I do things like meeting friends and going to the gym. How about you?
A: I do things like reading books or playing games. / I also do things like going see friends and exercising.

Ex. 週末(しゅうまつ) weekend	①電車(でんしゃ)の中(なか)で in the train	②飛行機(ひこうき)の中(なか)で in an airplane	③ひまなとき when you're not busy

What kind of holidays, festival and events does your country have? Use [V-た] + り、[V-た] + りします to explain.

Ex. 日本(にほん)では1月1日(がつついたち)から7日(なのか)までを「お正月(しょうがつ)」と言(い)います。お正月(しょうがつ)は、お節料理(せちりょうり)を食(た)べたり、神社(じんじゃ)やお寺(てら)に初(はつ)もうでに行(い)ったりします。

～から～まで from ... to ...／(お)正月(しょうがつ) New Year／～と言(い)います it says ...／お節料理(せちりょうり) osechi New Year dishes／神社(じんじゃ) shrine／(お)寺(てら) temple／初(はつ)もうで New Year visit to shrines and temples

Sentence Pattern 4　た形(けい)を使(つか)った表現(ひょうげん)　Expressions Using Ta-form

お金(かね)が**あったら**、世界中(せかいじゅう)を旅行(りょこう)します。

If I had the money, I would travel around the world.

NOTE　[V-た]+ら、〜 (=①If ..., ... ②When ..., ...)

1) Used to express the condition of an assumption, where once the "if ..." condition is fulfilled, then what follows is what will occur.
2) Used when doing something after a particular action has been completed.

Ex.
1) お金(かね)が**あったら**、世界中(せかいじゅう)を旅行(りょこう)します。
2) 駅(えき)に**着(つ)いたら**、電話(でんわ)してください。

1) If I had the money, I would travel around the world.
2) When you arrive at the station, please give me a call.

＿＿＿＿＿**たら**、＿＿＿＿＿
Let's try to speak using [V-た] + ら.

Ex.　お金(かね)があっ**たら**、世界中(せかいじゅう)を旅行(りょこう)します。

お金(かね)がある have money	いい仕事(しごと)が見(み)つかる find a good job	テストに合格(ごうかく)する pass a test
Ex.	①	②
世界中(せかいじゅう)を旅行(りょこう)します go on a trip around the world	今(いま)の仕事(しごと)を辞(や)めます quit one's current job	しばらくゆっくりします take it easy for a while

Ex.　駅(えき)に着(つ)い**たら**、電話(でんわ)してください。

駅(えき)に着(つ)く arrive at the station	準備(じゅんび)ができる be ready	授業(じゅぎょう)が終(お)わる a class ends
Ex.	①	②
電話(でんわ)してください give a call	呼(よ)んでください call me	映画(えいが)を見(み)ましょう let's watch a movie

Let's practice using phrases ①-⑤ in a conversation.

Ex. A :Bさん、春(はる)になったら、お花見(はなみ)をしませんか。
B :いいですね。そうしましょう。楽(たの)しみです。

A: B-san, why don't you go see the cherry blossoms when spring comes?
B: That sounds good. I'll do that. I'm looking forward to it.

春(はる)になる become spring Ex. お花見(はなみ)をします go see the cherry blossoms	国(くに)から友(とも)だちが来(く)る a friend comes from one's home country ① 飲(の)みに行(い)きます go for a drink	休(やす)みが取(と)れる be able to take a holiday ② 富士山(ふじさん)に登(のぼ)ります climb Mount Fuji
大阪(おおさか)に行(い)く go to Osaka ③ お好(この)み焼(や)きを食(た)べます eat okonomi-yaki	ギターが上手(じょうず)になる become good at playing the guitar ④ セッションします play a session	年(とし)を取(と)る become older ⑤ いっしょに旅行(りょこう)します go on a trip together

What will you do when situations 1-5 occur? Discuss with your partner.

Ex. A :私(わたし)は、風邪(かぜ)をひいたら、
薬(くすり)を飲(の)んで、できるだけ
早(はや)く寝(ね)ます。
B :私(わたし)は・・・

薬(くすり) medicine／できるだけ as much as possible／
早(はや)く early

To-do list

1. 風邪(かぜ)をひく catch a cold
2. ストレスがたまる be stressed out
3. 財布(さいふ)を落(お)とす lose a wallet
4. 日本語(にほんご)がペラペラになる
   become fluent in Japanese
5. お金(かね)/時間(じかん)がたくさんある
   have a lot of money/time

Listening

Listen to the conversation between the man and woman and choose the correct answers.

Q1 What will the man do first?

1. He will do nothing.
2. He will decide the place.
3. He will cancel the reservation.

Q2 Which of the following is true?

1. The man and the woman are both interested in the same song.
2. The man and the woman both like the author.
3. The man and the woman promised to go to a live performance together.

Q3 What did the woman do over the weekend?

1. She was at home.
2. She went out with the man.
3. She went to buy books.

Q4 Does the man have a pet at home?

1. Yes, a bird.
2. Yes, a bird and a cat.
3. Yes, a cat.

Shadowing

1. Recite the conversation together with the audio in a soft voice while looking at the text.
2. Recite the conversation together with the audio in a loud voice without looking at the text.

〈Conversation with a friend at school〉

M_1：昨日(きのう)、温泉(おんせん)に行(い)きました。

M_2：温泉(おんせん)ですか。いいですね。

M_1：ブルースさんは温泉(おんせん)に入(はい)ったことがありますか。

M_2：いいえ、ありません。でも、いつか行(い)きたいです。

M_1：露天風呂(ろてんぶろ)にも入(はい)ったほうがいいですよ。

M_2：露天風呂(ろてんぶろ)？

M_1：外(そと)のお風呂(ふろ)です。露天風呂(ろてんぶろ)で友(とも)だちと話(はな)したり、雪景色(ゆきげしき)を見(み)たり、とてもおもしろかったですよ。

M_2：そうですか。

いつか someday／雪景色(ゆきげしき) snowy scenery

ない形(けい)を使(つか)った表現(ひょうげん)
Expressions Using Nai-form

1 時間(じかん)に**遅(おく)れないでください**。

Please don't be late.

---

2 今日(きょう)は早(はや)めに**帰(かえ)らなきゃいけません**。

I have to leave earlier today.

---

3 **無理(むり)しないほうがいいです**。

It's better not to work too hard.

---

4 日本語(にほんご)で**書(か)かなくてもいいです**。

You don't have to write in Japanese.

ない形(けい) Nai-form [V-ない]

Group 1 (U-verbs)

辞書形(じしょけい) Dictionary Form			ない形(けい) Nai-form	
てつだ**う**	tetsuda**u**	➡	てつだ**わ**ない	tetsuda**wa**nai
か**く**	ka**ku**	➡	か**か**ない	ka**ka**nai
いそ**ぐ**	iso**gu**	➡	いそ**が**ない	iso**ga**nai
はな**す**	hana**su**	➡	はな**さ**ない	hana**sa**nai
し**ぬ**	shi**nu**	➡	し**な**ない	shi**na**nai
よ**む**	yo**mu**	➡	よ**ま**ない	yo**ma**nai
かえ**る**	kae**ru**	➡	かえ**ら**ない	kae**ra**nai

Exceptions: **ある** **aru** ➡ **ない** **nai**

Group 2 (Ru-verbs)

辞書形(じしょけい) Dictionary Form			ない形(けい) Nai-form	
たべ**る**	tabe**ru**	➡	たべ**ない**	tabe**nai**
ね**る**	ne**ru**	➡	ね**ない**	ne**nai**
み**る**	mi**ru**	➡	み**ない**	mi**nai**

Group 3 (Irregular Verbs)

辞書形(じしょけい) Dictionary Form			ない形(けい) Nai-form	
する	**suru**	➡	**しない**	**shinai**
くる	**kuru**	➡	**こない**	**konai**

Let's Practice!

Track 90

Starting from the Dictionary Form, make the Nai-form.

Dictionary Form	Meaning	Group	Nai-form
座(すわ)る	sit	1	
置(お)く	put	1	
迎(むか)えに行(い)く	go pick up	1	
払(はら)う	pay	1	
話(はな)す	speak	1	
騒(さわ)ぐ	make a lot of noise	1	
悪口(わるくち)を言(い)う	insult someone	1	
足(あし)を組(く)む	cross one's legs	1	
急(いそ)ぐ	hurry	1	
脱(ぬ)ぐ	take (something) off	1	
会員(かいいん)になる	become a member	1	
遅(おく)れる	be late	2	
決(き)める	decide	2	
捨(す)てる	throw away	2	
覚(おぼ)える	memorize	2	
いる	stay	2	
忘(わす)れる	forget	2	
持(も)ってくる	bring something	3	
気(き)にする	mind, worry	3	
無理(むり)する	work too hard	3	

Sentence Pattern 1 ない形(けい)を使(つか)った表現(ひょうげん) Expressions Using Nai-form

Track 91

時間(じかん)に遅(おく)れないでください。

Please don't be late.

NOTE **[V-ない] + でください** (= Please do not ...)
Used when asking someone not to do something. Also used to warn or encourage others, such as in **心配(しんぱい)しないでください** (Please don't worry.)

Ex. A :時間(じかん)に**遅(おく)れないでください。**
B :はい、わかりました。

A: Please don't be late.
B: Okay.

__________ **ないでください。**
Let's try to speak using [V-ない] + でください.

Ex. 時間(じかん)に遅(おく)れ**ないでください。**

Ex. 時間(じかん)に遅(おく)れる be late	①ここに座(すわ)る sit here	②自転車(じてんしゃ)をとめる park a bicycle
③心配(しんぱい)する worry	④気(き)にする mind, worry	⑤無理(むり)する work too hard

Let's practice using phrases ①-⑤ in a conversation.

Ex. A：宿題を忘れないでください。
B：あ、すみません。

A: Please do not forget your homework.
B: Oh, sorry.

Ex. 宿題を忘れる forget one's homework	①ゴミを捨てる throw away garbage	②中に入る enter
③ここに荷物を置く leave/put one's luggage here	④ここで写真を撮る take a picture here	⑤携帯電話を使う use a mobile phone

What would you do in the following situations? In situation 1, play the role of a convenience store employee. In situation 2, encourage a friend.

Ex. 1. You are an employee at a convenience store. There are several customers talking loudly, eating and drinking alcohol in front of your store. Give them a warning.

2. Your friend made a big mistake at work, and now he/she is so upset that he/she is crying. Console your friend.

Sentence Pattern 2　ない形(けい)を使(つか)った表現(ひょうげん)　Expressions Using Nai-form

今日(きょう)は早(はや)めに**帰(かえ)らなきゃいけません**。

I have to leave earlier today.

NOTE **[V-な~~い~~] + きゃいけません** (= have to ...)
Used when expressing necessity or obligation. **[V-な~~い~~] + くちゃいけません** and **[V-ない] + といけません** are used in the same way. In formal settings, **[V-な~~い~~] + ければいけません** is used.

Ex. A：今日(きょう)は早(はや)めに**帰(かえ)らなきゃいけません**。
B：あ、そうなんですか。

A: I have to go home earlier today.
B: Oh, I see.

Practice A　＿＿＿＿＿**なきゃいけません**。
Let's try to speak using [V-な~~い~~] + きゃいけません.

Track 95

Ex. 今日(きょう)は早(はや)めに帰(かえ)ら**なきゃいけません**。

Ex. 今日(きょう)は早(はや)めに帰(かえ)る leave earlier today	①明日(あした)の会議(かいぎ)に出(で)る attend a meeting tomorrow	②ビザの更新(こうしん)をする update one's visa
③友(とも)だちを迎(むか)えに行(い)く go pick up a friend	④11時(じ)までうちにいる stay home until 11 o'clock	⑤8時半(じはん)の電車(でんしゃ)に乗(の)る catch the 8:30 train

Practice B Let's practice using pharases ①-⑤ in a conversation.

Track 96

Ex. A：来週(らいしゅう)は忙(いそが)しいです。
だから、日本語(にほんご)のレッスンを休(やす)まなきゃいけません。

B：そうなんですか。

A: I'm busy next week, so I'll have to miss my Japanese lesson.
B: Oh, are you?

Ex. 日本語(にほんご)のレッスンを休(やす)む miss a Japanese lesson	①早(はや)めに宿題(しゅくだい)をする do homework earlier	②土曜日(どようび)も働(はたら)く work on Saturday
③朝(あさ)、うちを早(はや)く出(で)る leave home early in the morning	④飲(の)み会(かい)の予定(よてい)をキャンセルする cancel plans to go drinking	⑤今週中(こんしゅうちゅう)に引(ひ)っ越(こ)しの準備(じゅんび)をする prepare to move out by the end of this week

Practice C You are planning to live with your friend. Look at the conditions for living in a share house, serviced apartment and a dormitory and discuss with your partner where you would want to live.

〈シェアハウス〉 share house	〈サービスアパート〉 serviced apartment	〈寮(りょう)〉 dormitory
・駅(えき)から徒歩(とほ)15分(ふん) a 15-minute walk from the station	・管理費(かんりひ)月(つき)3万円(まんえん)(光熱費込(こうねつひこみ)) maintenance fee: 30,000 yen/month (includes utility costs)	・門限(もんげん)11時(じ) curfew: 11：00
・トイレ・バス共同(きょうどう) shared toilet/bathroom	・保険(ほけん)に入(はい)る buy insurance	・月(つき)1回(かい)ミーティングあり residents' meetings once a month

Ex. A：サービスアパートはどうですか。

B：うーん。でも、管理費(かんりひ)を3万円(まんえん)払(はら)わなきゃいけませんよ。

Sentence Pattern 3 ない形(けい)を使(つか)った表現(ひょうげん) Expressions Using Nai-form

無理(むり)しないほうがいいです。

It's better not to work too hard.

NOTE **[V-ない] + ほうがいいです** (= It's better not to ...)
Used when suggesting against doing something, such as when you give a general opinion or advice. Negative form of [V-た] + ほうがいいです (See → p. 76).

Ex. A：無理(むり)しないほうがいいですよ。
B：そうですね。

A: It's better not to work too hard.
B: Yes, I know.

＿＿＿＿ないほうがいいです。
Let's try to speak using [V-ない] + ほうがいいです.

Ex. 無理(むり)しないほうがいいです。

Ex. 無理(むり)する work too hard	①悪口(わるくち)を言(い)う insult someone	②気(き)にする mind
③大(おお)きい声(こえ)で話(はな)す speak loudly	④お酒(さけ)を飲(の)みすぎる drink too much	⑤夜遅(よるおそ)く騒(さわ)ぐ make a lot of noise late at night

Let's practice using phrases ①-⑤ in a conversation.

Ex. A：明日、日本の会社の面接なんです。
B：そうですか。じゃあ、時間に遅れないほうがいいですよ。

A: I have an interview with a Japanese company tomorrow.
B: Oh, you'd better not be late.

Ex. 時間に遅れる be late	①派手な服を着る wear flashy clothes	②足や腕を組む cross one's legs or arms
③長く話しすぎる talk too long	④前の会社の悪口を言う insult one's previous company	⑤ほおづえをつく rest one's chin on one's hand

Talk freely with your partner about what advice you might give to travelers. What should you do and what shouldn't you do in Japan or other countries.

Ex. A：日本では、居酒屋に行ったほうがいいですよ。安いですから。
B：私の国では、朝、電車に乗らないほうがいいですよ。すごく混んでいますから。

居酒屋 tavern／すごく very／混んでいる be crowded

Sentence Pattern 4 ない形(けい)を使(つか)った表現(ひょうげん) Expressions Using Nai-form

Track 100

日本語(にほんご)で書(か)かなくてもいいです。

You don't have to write in Japanese.

NOTE

[V-な~~い~~] + くてもいいです (= You don't have to ...)

Used to express that something is not necessary.

Ex. A：日本語(にほんご)で書(か)かなきゃいけませんか。

B：いいえ、日本語(にほんご)で**書(か)かなくてもいいです。**

> A: Do I have to write in Japanese?
> B: No, you don't have to write in Japanese.

Practice A

Track 101

＿＿＿なくてもいいです。

Let's try to speak using [V-な~~い~~] + くてもいいです.

Ex. <u>日本語(にほんご)で書(か)か**なくて**</u>**もいいです。**

Ex. 日本語(にほんご)で書(か)く write in Japanese	①明日(あした)は会社(かいしゃ)に行(い)く go to work tomorrow	②急(いそ)ぐ hurry
③明日(あした)は早(はや)く起(お)きる wake up early tomorrow	④お弁当(べんとう)を持(も)ってくる bring a lunch box	⑤スーツを着(き)る wear a suit

Let's practice using phrases ①-⑤ in a conversation.

Ex. A :予約しなきゃいけませんか。
B :いいえ、予約しなくてもいいです。
A :そうですか。よかったです。

A: Do I have to make a reservation?
B: No, you don't need to make a reservation.
A: Oh, that's good.

Ex. 予約する make a reservation	①くつを脱ぐ take off the shoes	②今、決める decide now
③テキストを買う buy a textbook	④会員になる become a member	⑤全部覚える memorize everything

Talk freely with your partner about what you have to do and what you don't have to do in Japan or in your country, using the topic below as a reference.

Topics

- レストランでチップを払う pay tips at a restaurant
- 小学校に子どもを迎えに行く pick up your son/daughter from elementarhy school
- 車でシートベルトをする wear a seatbelt when riding a car
- 健康保険に入る join a health insurance plan

Ex. A :私の国ではレストランでチップを払わなきゃいけません。
Bさんの国ではどうですか。
B :私の国では払わなくてもいいです。

Listening

Listen to the conversation between the man and woman and choose the correct answers.

Q1 What did the female teacher suggest?

1. You must take the JLPT test.
2. You must memorize kanji.
3. You must memorize katakana.

Q2 What can the man throw away?

1. He can throw away the plastic cup.
2. He can throw away the paper cup.
3. He cannot throw away anything.

Q3 What must the man do?

1. He must make a presentation.
2. He must write up a report.
3. He must attend the meeting.

Q4 What does the woman want to do next?

1. She wants to drink more alcohol.
2. She wants to drink water.
3. She wants to go home.

Shadowing

1. Recite the conversation together with the audio in a soft voice while looking at the text.
2. Recite the conversation together with the audio in a loud voice without looking at the text.

〈Conversation with a co-worker at the workplace〉

F_1：金曜日(きんようび)の飲(の)み会(かい)、行(い)きますか。

F_2：まだわかりません。いつまでに決(き)めなきゃいけませんか。

F_1：明日(あした)までにお願(ねが)いします。

F_2：そうですか。佐藤(さとう)さんも行(い)きますか。

F_1：佐藤(さとう)さんは行(い)きません。出張(しゅっちょう)で東京(とうきょう)にいませんよ。

F_2：じゃあ、行(い)きます。

F_1：え！ 佐藤(さとう)さんが苦手(にがて)なんですか。

F_2：ええ、実(じつ)は…。あ、でも佐藤(さとう)さんに言(い)わないでくださいね。

F_1：もちろん言(い)いませんよ。心配(しんぱい)しないでください。

F_2：よかった。

出張(しゅっちょう) business trip／苦手(にがて) difficult to get along with／実(じつ)は actually

普通形(ふつうけい)を使(つか)った表現(ひょうげん)
Expressions Using Plain Form

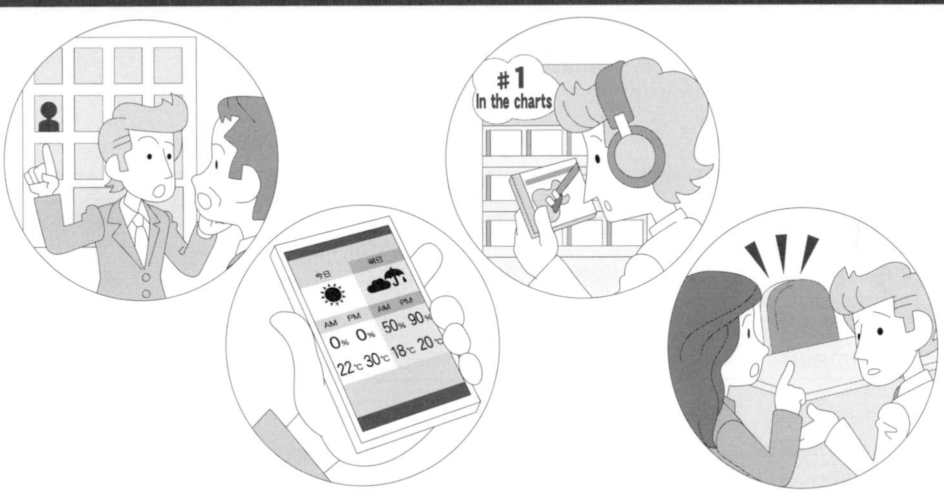

1 田中(たなか)さんは会社(かいしゃ)に**いると思(おも)います**。

I think Tanaka-san is in the office.

2 明日(あした)は雨(あめ)が**降(ふ)るかもしれません**。

It might rain tomorrow.

3 この曲(きょく)は**人気(にんき)があるみたいです**。

This song seems to be popular.

4 部長(ぶちょう)はもう**帰(かえ)ったと思(おも)います**。

I think the manager already went home.

5 セールは**昨日(きのう)までだったかもしれません**。

The sale might have been until yesterday.

6 ジョンさんは**仕事(しごと)を辞(や)めたみたいです**。

John-san seems to have quit his job.

普通形(ふつうけい) Plain Form (Non Past) [Plain-Non Past]

Verbs

Group 1 (U-verbs)

丁寧形(ていねいけい) Polite Form		普通形(ふつうけい) Plain Form	
Affirmative ▶P. 34 (ます形(けい) Masu-form)	Negative	Affirmative ▶P. 24 (辞書形(じしょけい) Dictionary form)	Negative ▶P. 84 (ない形(けい) Nai-form)
いきます ikimasu	いきません ikimasen	いく iku	いかない ikanai

Exceptions: ありますarimasu　ありませんarimasen　あるaru　ないnai

Group 2 (Ru-verbs)

丁寧形(ていねいけい) Polite Form		普通形(ふつうけい) Plain Form	
Affirmative ▶P. 34 (ます形(けい) Masu-form)	Negative	Affirmative ▶P. 24 (辞書形(じしょけい) Dictionary form)	Negative ▶P. 84 (ない形(けい) Nai-form)
たべます tabemasu	たべません tabemasen	たべる taberu	たべない tabenai

Group 3 (Irregular Verbs)

丁寧形(ていねいけい) Polite Form		普通形(ふつうけい) Plain Form	
Affirmative ▶P. 34 (ます形(けい) Masu-form)	Negative	Affirmative ▶P. 24 (辞書形(じしょけい) Dictionary Form)	Negative ▶P. 84 (ない形(けい) Nai-form)
します shimasu	しません shimasen	する suru	しない shinai
きます kimasu	きません kimasen	くる kuru	こない konai

Let's Practice! Track 108

Starting from the Polite Form, make the Plain Form.

雨(あめ)が降(ふ)ります⇒　日本(にほん)に住(す)みます⇒　来(き)ません⇒
人気(にんき)がありません⇒　英語(えいご)が通(つう)じません⇒　はやっていません⇒
遅(おく)れます⇒　結婚(けっこん)します⇒

I-adjectives

丁寧形 (ていねいけい) Polite Form		普通形 (ふつうけい) Plain Form	
Affirmative	Negative	Affirmative	Negative
たか**いです** takai **desu**	たか**くないです** taka**kunai desu**	たか**い** takai	たか**くない** taka**kunai**

Exceptions: **いいです** ii desu | **よくないです** yokunai desu | **いい** ii | **よくない** yokunai

Na-adjectives

丁寧形 (ていねいけい) Polite Form		普通形 (ふつうけい) Plain Form	
Affirmative	Negative	Affirmative	Negative
げんき**です** genki **desu**	げんき**じゃないです** genki **janai desu**	げんき**だ** genki **da**	げんき**じゃない** genki **janai**

Nouns

丁寧形 (ていねいけい) Polite Form		普通形 (ふつうけい) Plain Form	
Affirmative	Negative	Affirmative	Negative
がくせい**です** gakusei **desu**	がくせい**じゃないです** gakusei **janai desu**	がくせい**だ** gakusei **da**	がくせい**じゃない** gakusei **janai**

●● Let's Practice! ●● Track 109

Starting from the Polite Form, make the Plain Form.

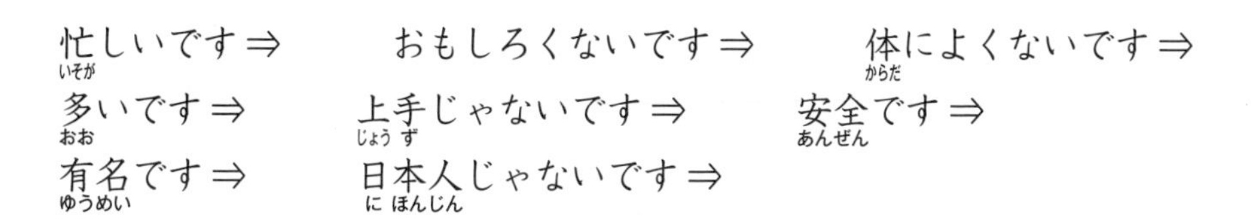

忙(いそが)しいです ⇒　　おもしろくないです ⇒　　体(からだ)によくないです ⇒

多(おお)いです ⇒　　上手(じょうず)じゃないです ⇒　　安全(あんぜん)です ⇒

有名(ゆうめい)です ⇒　　日本人(にほんじん)じゃないです ⇒

Sentence Pattern 1　普通形を使った表現 Expressions Using Plain Form

田中さんは会社に**いると思います**。

I think Tanaka-san is in the office.

NOTE **[Plain - Non Past] + と思います** (= I think ...)

Used to express a supposition or opinion of the speaker. The subject 私は tends to be omitted. When using a negative form, the negation does not come at the end of the sentence but at the [Plain] part like 彼は**行かないと思います** (I don't think he will be going.)

Ex. A：田中さんは今、会社にいますか。
B：はい、**いると思います**。

A: Is Tanaka-san in the office now?
B: Yes, I think so.

Practice A　＿＿＿＿＿と思います。

Track 111

Let's try to speak using [Plain - Non Past] + と思います.

Ex. 田中さんは会社にいる**と思います**。

Ex. 田中さんは会社にいます Tanaka-san is at the company	①エミさんは週末、忙しいです Emi-san is busy on this weekend	②チンさんは英語が上手です Chin-san is good at English
③この映画はおもしろくないです this movie is not interesting	④あの人は日本人じゃないです that person is not Japanese	⑤彼はパーティーに来ません he will not come to the party

Let's practice using phrases ①-⑤ in a conversation.

Ex. A：明日(あした)、雨(あめ)が降(ふ)りますか。

B：はい、降(ふ)ると思(おも)います。

／いいえ、降(ふ)らないと思(おも)います。

A: Is it going to rain tomorrow?
B: Yes, I think it will rain.
/ No, I don't think it will rain.

Ex. 明日(あした)、雨(あめ)が降(ふ)ります it will rain tomorrow	①明日(あした)は雪(ゆき)です it will snow tomorrow	②あの店(みせ)は混(こ)んでいます that store/restaurant is crowded
③週末(しゅうまつ)は天気(てんき)がいいです the weather will be good on the weekend	④駅(えき)にコインロッカーがあります there are coin lockers in the station	⑤あの二人(ふたり)は結婚(けっこん)します those two are getting married

Talk freely with your partner about Japanese society using the topics below as reference.

Topics

- 日本(にほん)の生活(せいかつ) life in Japan
- 日本(にほん)の電車(でんしゃ)(交通手段(こうつうしゅだん)) trains in Japan (means of transportation)
- 日本(にほん)のサービス services in Japan
- 日本(にほん)のうち houses in Japan

Ex. A：日本(にほん)の生活(せいかつ)についてどう思(おも)いますか。

B：そうですねえ。日本(にほん)はきれいだと思(おも)います。そして安全(あんぜん)だと思(おも)います。
でも、忙(いそが)しいと思(おも)います。Aさんはどう思(おも)いますか。

A：私(わたし)は・・・

～についてどう思(おも)いますか what do you think about ...／そして and／安全(あんぜん) safe

Sentence Pattern 2 普通形を使った表現 Expressions Using Plain Form

明日は雨が**降るかもしれません。**

It might rain tomorrow.

NOTE

[Plain - Non Past] + かもしれません(= It might ...)
＊[Na-adjective]だ + かもしれません　＊[N]だ + かもしれません
Used to indicate that the possibility exists, but cannot be said for sure. When the possibility is low, sometimes **もしかしたら** is added before the sentence. Ex. **もしかしたら**会社を**辞めるかもしれません。**(I might quit the company.)

Ex. A：明日は雨が**降るかもしれません。**
B：そうなんですか。

A: It might rain tomorrow.
B: Really?

__________**かもしれません。**
Let's try to speak using [Plain - Non Past] + かもしれません.

Ex. 明日は雨が降る**かもしれません。**

Ex. 明日は雨が降ります will rain tomorrow	①ちょっと遅れます be a little late	②国に帰りません will not return to one's country
③今年は雪が多いです there is a lot of snow this year	④トムさんはもうすぐ引っ越します Tom-san will move soon	⑤アンさんはベジタリアンです Ann-san is a vegetarian

Let's practice using phrases ①-⑤ in a conversation.

Ex. A：もしかしたら、会社を辞めるかもしれません。
B：え、そうなんですか。

A: I might quit the company.
B: Oh, really?

Ex. 会社を辞めます will quit one's company	①JLPTを受けます will take the JLPT	②来月はもっと忙しくなります next month will be busier
③ずっと日本に住みます will live in Japan for a long time	④今度の休みにタイに行きます will go to Thailand on the next holiday	⑤自分でビジネスを始めます will start one's own business

You are searching for a restaurant on the Internet for a year-end party. Discuss things with your friend and decide on a restaurant.

Ex. A：この店はどうですか。安いですよ。
B：うーん。でも、おいしくないかもしれませんよ。
A：あー、そうかもしれませんね。

そうかもしれません I guess so.

〈居酒屋さくら Izakaya Sakura〉
- 駅から徒歩5分
  five-minute walk from the station
- 全50席 50 seats total
- メニューが多いです
  large selection on the menu
- 安いです
  inexpensive
- 飲み放題があります
  all-you-can-drink plan available

Sentence Pattern 3 普通形を使った表現 Expressions Using Plain Form

この曲は**人気があるみたいです**。

This song seems to be popular.

NOTE **[Plain - Non Past] + みたいです** (= seems to be ...)
＊[Na-adjective]だ + みたいです　＊[N]だ + みたいです
Used when guessing the speaker's feelings or thoughts based on information you receive through your five senses, such as seeing and hearing. In formal settings, **〜ようです** is used.

Ex. A：この曲は**人気があるみたいです**よ。
B：**そうみたいです**ね。

A: This song seems to be popular.
B: It seems like it.

＿＿＿＿＿**みたいです。**
Let's speak using [Plain - Non Past] + みたいです.

Ex. この曲は人気がある**みたいです。**

Ex. この曲は人気があります this song is popular	①メニューは日本語だけです the menu is only in Japanese	②有名なシェフがいます there is a famous chef
③エリさんは留学します Eri-san will study abroad	④リンさんは歌が上手じゃないです Lin-san is not good at singing	⑤この美術館はおもしろいです this museum is interesting

Let's practice using phrases ①-⑤ in a conversation.

Ex. A：私もよく知らないんですが、
お酢は体にいいみたいですよ。
B：へえ、そうなんですか。／そうみたいですね。

A: I'm not too sure, but vinegar seems to be good for your health.
B: Oh, really. / It seems so.

Ex. お酢は体にいいです vinegar is good for your health	①ここでは、英語があまり通じません English isn't understood here much	②近くにスポーツクラブができます a sports club will open nearby
③この店はパンケーキが有名です this restaurant is famous for its pancakes	④もうすぐ新しいバージョンが出ます a new version will be released soon	⑤部長が離婚します our boss is getting a divorce

Talk freely about what you've seen or heard recently using the topics below as a reference.

Topics

・クラスメート／有名人 classmate/celebrity
・日本／自分の国ではやっていること what is popular in Japan/your country

Ex. 日本の若い女の子の間では、カラーコンタクトがはやっているみたいです。
グリーンやブルーのコンタクトもするみたいです。
ちゃんとケアをしないので、トラブルも多いみたいです。

若い young／女の子 girl／～の間では among …／カラーコンタクト color contact lenses／ケアをする to care for／トラブルが多い a lot of trouble

普通形(ふつうけい) Plain Form (Past) [Plain - Past]

Verbs

Group 1 (U-verbs)

丁寧形(ていねいけい) Polite Form		普通形(ふつうけい) Plain Form	
Affirmative	Negative	Affirmative ▶P. 72 (た形(けい) Ta-form)	Negative
いきました iki**mashita**	いきませんでした iki**masen deshita**	いった itta	いかなかった ikanakatta

Exceptions: ありました arimashita | ありませんでした arimasen deshita | あった atta | なかった nakatta

Group 2 (Ru-verbs)

丁寧形(ていねいけい) Polite Form		普通形(ふつうけい) Plain Form	
Affirmative	Negative	Affirmative ▶P. 72 (た形(けい) Ta-form)	Negative
たべました tabe**mashita**	たべませんでした tabe**masen deshita**	たべた tabe**ta**	たべなかった tabe**nakatta**

Group 3 (Irregular Verbs)

丁寧形(ていねいけい) Polite Form		普通形(ふつうけい) Plain Form	
Affirmative	Negative	Affirmative ▶P. 72 (た形(けい) Ta-form)	Negative
しました shi**mashita**	しませんでした shi**masen deshita**	した shita	しなかった shinakatta
きました ki**mashita**	きませんでした ki**masen deshita**	きた kita	こなかった konakatta

Starting from the Polite Form, make the Plain Form.

会議(かいぎ)に出(で)ませんでした⇒　　国(くに)に帰(かえ)りました⇒　　しまいました⇒

わかりませんでした⇒　　鍵(かぎ)を閉(し)めました⇒　　保存(ほぞん)しませんでした⇒

戻(もど)ってきませんでした⇒　　トラブルがありました⇒

I-adjectives

丁寧形(ていねいけい) Polite Form		普通形(ふつうけい) Plain Form	
Affirmative	Negative	Affirmative	Negative
たか**かったです** taka**katta desu**	たか**くなかったです** taka**kunakatta desu**	たか**かった** taka**katta**	たか**くなかった** taka**kunakatta**

Exceptions:			
よかったです yokatta desu	**よくなかったです** yokunakatta desu	**よかった** yokatta	**よくなかった** yokunakatta

Na-adjectives

丁寧形(ていねいけい) Polite Form		普通形(ふつうけい) Plain Form	
Affirmative	Negative	Affirmative	Negative
げんき**でした** genki **deshita**	げんき**じゃなかったです** genki **janakatta desu**	げんき**だった** genki **datta**	げんき**じゃなかった** genki **janakatta**

Nouns

丁寧形(ていねいけい) Polite Form		普通形(ふつうけい) Plain Form	
Affirmative	Negative	Affirmative	Negative
がくせい**でした** gakusei **deshita**	がくせい**じゃなかったです** gakusei **janakatta desu**	がくせい**だった** gakusei **datta**	がくせい**じゃなかった** gakusei **janakatta**

Starting from the Polite Form, make the Plain Form.

忙(いそが)しくなかったです ⇒　　具合(ぐあい)が悪(わる)かったです ⇒　　かっこよかったです ⇒

まじめでした ⇒　　ひまじゃなかったです ⇒　　雨(あめ)でした ⇒

休(やす)みじゃなかったです ⇒

Sentence Pattern 4 普通形を使った表現 Expressions Using Plain Form

部長はもう**帰ったと思います**。

I think the manager already went home.

NOTE **[Plain - Past] + と思います** (= I think ...)
Expression used to state a speaker's opinion or assumption from the past. Also used when expressing something the speaker is not certain of, even if it is not something of the past. Ex. パーティーは**来週の土曜日だったと思います**。(I think that party was supposed to be held next Saturday.)

Ex. A：部長はもう帰りましたか。
B：はい、**帰ったと思います**。

A: Did the manager leave already?
B: Yes, I think the manager left.

Practice A ＿＿＿＿たと思います。
Let's speak using [Plain - Past] + と思います.

Track 122

Ex. 部長はもう帰っ**たと思います**。

Ex. 部長はもう帰りました the manager already went home	①おじいさんは若いとき、かっこよかったです my grandfather was cool when he was young	②トムさんは学生のとき、まじめでした Tom-san was diligent when he was a student
③彼は今日の授業がわかりませんでした he did not understand today's class	④先週の日曜日は雨でした it was rainy last Sunday	⑤佐藤さんは忘年会に行きませんでした Satō-san did not go to the year-end party

Practice B Let's practice using words ①-⑤ in a conversation.

Track 123

Ex. A：あの人(ひと)はフランス人(じん)でしたっけ？
B：はい、フランス人(じん)だったと思(おも)います。
／いいえ、フランス人(じん)じゃなかったと思(おも)います。

A: Is that person French?
B: Yes, I think that person is French./ No, I don't think that person is French.

～でした/ましたっけ？ Used when confirming something by searching one's memory, such as something that one has heard before.

Ex. あの人(ひと)はフランス人(じん)です that person is French	①あの人(ひと)のうちは中野(なかの)です that person's house is in Nakano Ward	②鍵(かぎ)を閉(し)めました have locked
③あの人(ひと)は外資系(がいしけい)に勤(つと)めています that person is working for a foreign-affiliated firm	④この辺(へん)に薬屋(くすりや)があります there is a drug store around here	⑤あの店(みせ)は火曜日(かようび)休(やす)みです that store is closed on Tuesdays

Practice C If you hadn't come to Japan, where would you be now and what would you be doing ? Talk freely with your partner.

Ex. A：日本(にほん)に来(こ)なかったら、私(わたし)はハワイでスキューバダイビングのインストラクターをしていたと思(おも)います。そして、日本人(にほんじん)のお客(きゃく)さんと英語(えいご)で話(はな)していたと思(おも)います。
B：私(わたし)は・・・

ハワイ Hawaii／スキューバダイビング scuba diving／インストラクター instructor／そして and then

Sentence Pattern 5 普通形を使った表現 Expressions Using Plain Form

セールは**昨日までだったかもしれません。**

The sale might have been until yesterday.

NOTE

[Plain - Past] + かもしれません (= might have been ...)
Indicates that something in the past was possible but not certain.

Ex. A：セールはいつまででしたっけ？
B：**昨日までだったかもしれません。**

A: When is the sale until?
B: It might have been until yesterday.

Practice A ＿＿＿＿＿**たかもしれません。**
Let's speak using [Plain - Past] + かもしれません.

Ex. セールは昨日までだっ**たかもしれません。**

Ex. セールは昨日まででした the sale was until yesterday	①昨日のほうがひまでした yesterday was less busy	②去年のほうが忙しかったです last year was busier
③岡村さんは会議に出ませんでした Okamura-san was not at the meeting	④Part 1 のほうがいい映画でした Part 1 was a better movie	⑤クリスさんは国に帰りました Chris-san returned to his country

Let's practice using phrases ①-⑤ in a conversation.

Ex. A：電気(でんき)を消(け)しましたか。

B：あー、消(け)さなかったかもしれません。すみません。

A: Did you turn off the lights?
B: Oh, I might not have. I'm sorry.

Ex. 電気(でんき)を消(け)しました turned off the lights	①鍵(かぎ)を閉(し)めました locked (something)	②パソコンの電源(でんげん)を切(き)りました turned off the PC
③データを保存(ほぞん)しました saved data	④ファイルをしまいました put away a file	⑤ゴミを捨(す)てました threw away garbage

You might have forgotten something at work. Call and check with your co-worker.

Ex. A：すみません、その辺(へん)に私(わたし)のファイルがありませんか。

B：どこに置(お)きましたか。

A：たぶん机(つくえ)の上(うえ)だったと思(おも)うんですが…。

B：ありませんね。

A：じゃあ、机(つくえ)の引(ひ)き出(だ)しの中(なか)だったかもしれません。

B：あ、ありました！

その辺(へん) around there／ファイル file／たぶん perhaps／～んですが... I think (verb)...／引(ひ)き出(だ)し drawer

Sentence Pattern 6 普通形(ふつうけい)を使(つか)った表現(ひょうげん) Expressions Using Plain Form

Track 127

ジョンさんは**仕事(しごと)を辞(や)めたみたいです**。

John-san seems to have quit his job.

NOTE

[Plain - Past] + みたいです (= seems to have been ...)

Used when talking about something that happened in the past, guessing the speaker's feelings or thoughts from information obtained through the five senses.

Ex. A：ジョンさんは**仕事(しごと)を辞(や)めたみたいです**よ。

B：**そうみたいです**ね。

A: John-san seems to have quit his job.

B: It seems like it.

Practice A

Track 128

＿＿＿＿＿＿たみたいです。

Let's practice using [Plain - Past] + みたいです.

Ex. ジョンさんは仕事(しごと)を辞(や)め**たみたいです。**

Ex. ジョンさんは仕事(しごと)を辞(や)めました John-san quit his job	①ジョンさんは具合(ぐあい)が悪(わる)かったです John-san wasn't feelling well	②ジョンさんは前(まえ)は弁護士(べんごし)でした John-san used to be a lawyer
③キムさんは今日(きょう)も会社(かいしゃ)に遅(おく)れました Kim-san was late for work again today	④キムさんは去年(きょねん)ロンドン支社(ししゃ)にいました Kim-san was in the London office last year	⑤キムさんは昨日(きのう)も忙(いそが)しかったです Kim-san was also busy yesterday

Let's practice using phrases ①-⑤ in a conversation.

Ex. A：営業(えいぎょう)の岡村(おかむら)さん、昨日(きのう)戻(もど)ってきませんでしたね。

B：ええ、お客(きゃく)さんとトラブルがあったみたいですよ。

A：そうでしたか。

A: Okamura-san in the sales department didn't come back yesterday.
B: Yes, it seems he had trouble with a customer.
A: Oh, I see.

昨日戻(きのうもど)ってきませんでした didn't come back yesterday Ex. お客(きゃく)さんとトラブルがありました had trouble with a customer	今日休(きょうやす)みでした took a day off today ① 昨日飲(きのうの)みすぎました drank too much yesterday	最近忙(さいきんいそが)しそうです seems to be busy recently ② 昨日(きのう)も残業(ざんぎょう)していました worked overtime yesterday again
結婚(けっこん)しました got married ③ 豪華(ごうか)な結婚式(けっこんしき)でした was a fancy wedding	課長(かちょう)になりました became a section chief ④ プロジェクトで成功(せいこう)しました the project was successful	英語(えいご)が上手(じょうず)です be good at English ⑤ アメリカで生(う)まれました was born in America

Talk with your partner about celebrity gossip.

Ex. A：あのモデルは、最近整形(さいきんせいけい)したみたいですよ。

B：そうなんですか。あの○○は・・・

モデル model／整形(せいけい)する get plastic surgery

Listening

Listen to the conversation between the man and woman and choose the correct answers.

Q1 Which of the following is true?

1. The woman uses a kanji application.
2. The man doesn't use a kanji application because it's not convenient.
3. The man is looking for a kanji application.

Q2 Which of the following is true?

1. The man and the woman both know Kevin-san is quitting the company.
2. The woman didn't know Kevin-san is quitting the company.
3. The man told the woman he is quitting the company.

Q3 What are the man and woman going to ask Kondō-san to do?

Track 132

1. They will ask Kondō-san to write an in English email.
2. They will ask Kondō-san to make a phone call in English.
3. They will ask Kondō-san to translate an English email.

Q4 What is the woman going to do?

1. She will go to the ward office together with the man.
2. She will speak Japanese with the man.
3. She will study English with the man.

＊区役所(くやくしょ) ward office

Shadowing

1. Recite the conversation together with the audio in a soft voice while looking at the text.
2. Recite the conversation together with the audio in a loud voice without looking at the text.

〈Conversation with a colleague on the way back from a restaurant〉

F_1：あっ、レストランに携帯(けいたい)を忘(わす)れたかもしれません。

M：電話(でんわ)したほうがいいですね。私(わたし)の携帯(けいたい)を使(つか)ってください。

(on the phone)

F_2：はい、ソレイユでございます。

F_1：すみません。カウンターに携帯(けいたい)の忘(わす)れ物(もの)がありませんでしたか。

F_2：うーん。ちょっと、ないみたいですね。

F_1：じゃあ、トイレに忘(わす)れたかもしれません。

F_2：トイレですか。ちょっとお待(ま)ちください。見(み)てきます。

F_1：すみません、お願(ねが)いします。

携帯(けいたい) cell phone／**見**(み)**てきます** go take a look

Have a Try! （UNIT 5 – UNIT 7）

Use the sentence patterns indicated by the ✓ for role-playing and conversation practice.

① Role-playing

A: You will soon be working at a Japanese company. You are worried because you don't know much about Japanese companies. Use the list below and seek advice from B-san about working in a Japanese company.

B: You have worked at a Japanese company before. Offer advice to A-san who will soon start working at a Japanese company. If you have never worked in a Japanese company, try to imagine what it will be like when talking with your partner.

✓ [V-た] ＋ことがあります
✓ [V-ない] ＋ほうがいいです
✓ [V-な~~い~~] ＋くてもいいです
✓ [V-た] ＋ほうがいいです
✓ [V-な~~い~~] ＋きゃいけません
✓ [Plain] ＋と思います

Ex.

Ａ：４月から日本の会社で働きます。Ｂさんは日本の会社で働いたことがありますか。

Ｂ：はい、あります。

Ａ：仕事は５時までですが、毎日残業をしなきゃいけないと思いますか。

Ｂ：毎日しなくてもいいと思いますよ。

～が　but

List

・Work overtime every day?
・Wear a suit to the office?
・Speak in honorifics?
・Write emails in Japanese?

残業する　work overtime ／ 敬語　honorifics

② Role-playing

A: You are in love with B-san's co-worker. Ask B-san about the co-worker.

B: A-san is in love with your co-worker. Tell A-san about your co-worker, guessing based on what you know about your co-worker's daily actions.

✓[Plain]＋と思います　✓[Plain]＋みたいです

Ex.

A：Bさんの同僚のリサさん、かわいいですね。
B：そうですね。
A：リサさん、彼氏がいると思いますか。
B：いないと思いますよ。よく残業していますから。
A：そうですか。お酒は好きですか。
B：好きみたいですよ。よく会社の飲み会に来ますから。

同僚　co-worker／彼氏　boyfriend／飲み会　drinking party

③ Conversation

Talk with your partner about what you think your hobbies and lifestyle will be like several years from now and several decades from now.

✓[V-た]＋ら、～　✓[V-た]＋り [V-た]＋り ～　✓[V-~~ます~~]＋たいです
✓[V-る]＋つもりです　✓[V-た]＋ほうがいいです　✓[V-な~~い~~]＋くてもいいです

Ex.

A：Bさん、60歳になったら、何がしたいですか。
B：うーん。私は野菜をつくったり花を育てたりしたいです。
A：じゃあ、田舎に住むつもりですか。
B：うーん、田舎に住まなくてもいいですが、大きい庭があるうちに住みたいです。
　Aさんは？

花を育てる　grow flowers／田舎　countryside／庭　garden

Casual Conversation Between Friends

Polite Style 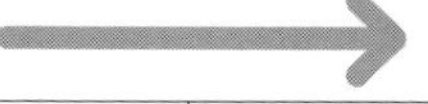 **Plain Style**

	Polite Style	Plain Style
U1 T135	A：サッカー**を見るのが好きですか**。 B：**はい、好きです**。 　／**いいえ、**あまり**好きじゃないです**。	A：サッカー**(を)見るの(が)好き？** B：**うん、好き**。 　／**ううん、**あまり**好きじゃない**。
T136	A：明日、パーティー**に行きますか**。 B：**はい、行くつもりです**。	A：明日、パーティー**(に)行く？** B：**うん、行くつもり**。
T137	A：寝るまえに**何をしますか**。 B：本**を読みます**。	A：寝るまえに**何(を)する？** B：本**(を)読む**。
U2 T138	A：荷物**を持ちましょうか**。 B：あ、**すみません。お願いします**。	A：荷物**(を)持とうか**。(▶ p.188) B：あ、**ごめん。お願い**。
T139	A：これから、どこ**に行くんですか**。 B：新宿に映画**を見に行きます**。	A：これから、どこ**(に)行くの？** B：新宿に映画**(を)見に行く**。
T140	A：昼ご飯に何**が食べたいですか**。 B：おいしいラーメン**が食べたいです**。	A：昼ご飯に何**(が)食べたい？** B：おいしいラーメン**(が)食べたい**。
T141	A：**どうしたんですか**。 B：昨日ケーキ**を食べすぎました**。	A：**どうしたの？** B：昨日ケーキ**(を)食べすぎた**。
U3 T142	A：**すみません**。ゆっくり**話してください**。 B：**わかりました**。	A：**ごめん**。ゆっくり**話して**。 B：**わかった**。
T143	A：**すみません**。 　ひらがなで**書いていただけませんか**。 B：**はい、わかりました**。	A：**ごめん**。 　ひらがなで**書いてもらえない？** B：**うん、わかった**。
T144	A：週末、何**をしますか**。 B：渋谷に行って、友だちとご飯**を食べます**。	A：週末、何**(を)する？** B：渋谷に行って、友だちとご飯**(を)食べる**。
U4 T145	A：**あのー、**今日、早く**帰ってもいいですか**。 B：**ええ、いいです**よ。	A：**ねえ、**今日、早く**帰ってもいい？** B：**うん、いい**よ。
T146	A：今、何**をしていますか**。 B：日本語**を勉強しています**。	A：今、何**(を)して(い)る？** B：日本語**(を)勉強して(い)る**。
T147	A：どこで**働いていますか**。 B：新宿で**働いています**。	A：どこで**働いて(い)る？** B：新宿で**働いて(い)る**。
T148	A：10年前、どこに**住んでいましたか**。 B：パリに**住んでいました**。	A：10年前、どこに**住んで(い)た？** B：パリに**住んで(い)た**。

T149	A：もうご飯を食べましたか。 B：いいえ、まだ食べていません。	A：もうご飯(を)食べた？ B：ううん、まだ食べて(い)ない。
U5 T150	A：富士山に登ったことがありますか。 B：はい、あります。／いいえ、ありません。	A：富士山に登ったこと(が)ある？ B：うん、ある。／ううん、ない。
T151	A：駅まではバスで行ったほうがいいですよ。 B：じゃあ、そうします。	A：駅まではバスで行ったほうがいいよ。 B：じゃあ、そうする。
T152	A：休みの日はいつも何をしますか。 B：映画を見たり、買い物をしたりします。	A：休みの日(は)いつも何(を)する？ B：映画(を)見たり、買い物(を)したりする。
T153	1）お金があったら、世界中を旅行します。 2）駅に着いたら、電話してください。	1）お金があったら、世界中(を)旅行する。 2）駅に着いたら、電話して。
U6 T154	A：時間に遅れないでくださいね。 B：はい、わかりました。	A：時間に遅れないでね。 B：うん、わかった。
T155	A：今日は早めに帰らなきゃいけません。 B：あ、そうなんですか。	A：今日は早めに帰らなきゃ(いけない)。 B：あ、そうなんだ。
T156	A：お酒を飲みすぎないほうがいいですよ。 B：そうですね。	A：お酒(を)飲みすぎないほうがいいよ。 B：そうだね。
T157	A：日本語で書かなきゃいけませんか。 B：いいえ、日本語で書かなくてもいいですよ。	A：日本語で書かなきゃいけない？ B：ううん、日本語で書かなくてもいいよ。
U7 T158	A：田中さんは今、会社にいますか。 B：はい、いると思います。	A：田中さん(は)今、会社にいる？ B：うん、いると思う。
T159	A：明日は雨が降るかもしれません。 B：そうなんですか。	A：明日(は)雨(が)降るかもしれない。 B：そうなんだ。
T160	A：この曲は人気があるみたいですよ。 B：そうみたいですね。	A：この曲(は)人気(が)あるみたいだよ。 B：そうみたいだね。
T161	A：部長はもう帰りましたか。 B：はい、帰ったと思います。	A：部長(は)もう帰った？ B：うん、帰ったと思う。
T162	A：セールはいつまででしたっけ？ B：昨日までだったかもしれません。	A：セール(は)いつまでだったっけ？ B：昨日までだったかもしれない。
T163	A：ジョンさんは仕事を辞めたみたいですよ。 B：そうみたいですね。	A：ジョンさん(は)仕事(を)辞めたみたいだよ。 B：そうみたいだね。

形容詞を使った表現
けいようし　つか　ひょうげん

Expressions Using Adjectives

1 タクシー**より**電車**のほうが**早**いです**。
でんしゃ　はや

The train is faster than a taxi.

2 日本**の中で**、東京**が一番**家賃が**高いです**。
にほん　なか　とうきょう　いちばん　やちん　たか

Tokyo's rent is the highest in Japan.

3 東京は**人が多くて**にぎやか**です**。
とうきょう　ひと　おお

Tokyo is full of people and lively.

4 このラーメンは**おいしそうです**。

This ramen looks tasty.

5 日本のお菓子は**甘すぎます**。
にほん　かし　あま

Japanese sweets are too sweet.

Sentence Pattern 1 形容詞(けいようし)を使(つか)った表現(ひょうげん) Expressions Using Adjectives

タクシーより電車(でんしゃ)のほうが早(はや)いです。

The train is faster than a taxi.

NOTE [A] より [B] のほうが [Adjective] (= B is ... than A)

Used when B is more [Adjective] than A. As in 電車(でんしゃ)のほうが早(はや)いです (the train is faster), Aより is sometimes omitted. Also, sometimes it is expressed as Bのほうが/はAより like in 電車(でんしゃ)のほうがタクシーより早(はや)いです, 電車(でんしゃ)はタクシーより早(はや)いです.

Ex. A：タクシーと電車(でんしゃ)とどちらのほうが早(はや)いですか。

B：タクシーより電車(でんしゃ)のほうが早(はや)いです。

> A: Which is faster, taxi or train?
> B: The train is faster than a taxi.

Practice A ＿A＿より＿B＿のほうが＿＿＿＿。

Let's speak using [A] より [B] のほうが [Adjective].

Track 165

Ex. タクシーより電車(でんしゃ)のほうが早(はや)いです。

タクシー ＜ 電車(でんしゃ) taxi ＜ train Ex. ---------- 早(はや)い fast	前(まえ)の会社(かいしゃ) ＜ 今(いま)の会社(かいしゃ) former company < current company ① ---------- 給料(きゅうりょう)がいい pays good salary	新宿(しんじゅく) ＜ 秋葉原(あきはばら) Shinjuku < Akihabara ② ---------- 電気屋(でんきや)が多(おお)い electoronics stores are numerous
漢字(かんじ) ＜ ひらがな kanji < hiragana ③ ---------- 簡単(かんたん) easy	電子辞書(でんしじしょ) ＜ アプリ electronic dictionary < application ④ ---------- 便利(べんり) convenient	お金(かね) ＜ 時間(じかん) money < time ⑤ ---------- 大切(たいせつ) important

Let's practice using phrases ①-⑤ in a conversation.
Come up with your own answer for the parts on the dotted lines.

Ex.
A：渋谷(しぶや) と 新宿(しんじゅく) と、どちらのほうがいいですか。
B：渋谷(しぶや)のほうがいいです。
A：じゃあ、渋谷(しぶや)にしましょう。

> A: Which is better, Shibuya or Shinjuku?
> B: Shibuya is better.
> A: Then, let's go with Shibuya.

Ex. 渋谷(しぶや)／新宿(しんじゅく) Shibuya / Shinjuku	①イタリアン／和食(わしょく) Italian food / Japanese food	②赤(あか)ワイン／白(しろ)ワイン red wine / white wine
③土曜日(どようび)／日曜日(にちようび) Saturday / Sunday	④午前(ごぜん)／午後(ごご) morning / afternoon	⑤カウンター席(せき)／テーブル席(せき) counter seat / table seat

You want to travel to Kyoto with your friend. Talk with your friend about the following points and decide where to go.

Ex.
A：どこに泊(と)まりましょうか。
B：ホテルより旅館(りょかん)のほうがおもしろいと思(おも)います。
A：そうですね。
でも、高(たか)いと思(おも)います。

泊(と)まる stay at

- どこに泊(と)まる：ホテル／旅館(りょかん)
  stay where: hotel/Japanese-style inn
- 何(なに)で行(い)く：新幹線(しんかんせん)／飛行機(ひこうき)
  travel by what: shinkansen (bullet train)/airplane
- いつ行(い)く：春(はる)／秋(あき)
  go when: spring / autumn
- どんなプランにする：ツアー／フリー
  what kind of plan: tour/no plan

Sentence Pattern 2 形容詞を使った表現 Expressions Using Adjectives

Track 167

日本の中で、東京が一番家賃が高いです。

Tokyo's rent is the highest in Japan.

NOTE [X] (の中)で、[A] が一番[Adjective] (= A is the most ... among X)

Used to indicate the top-most in group X. Sometimes used when listing three or more specific things such as, 日本と韓国と中国の中で (among Japan, South Korea and China).

Ex. A：日本の中で、どこが一番家賃が高いですか。

B：東京が一番(家賃が)高いです。

> A: Where is the rent highest in Japan?
> B: Tokyo has the highest rent.

Practice A

Track 168

___X___の中で、___A___が一番________。

Let's speak using Xの中で、Aが一番[Adjective].

Ex. 日本の中で、東京が一番家賃が高いです。

日本 — 東京 Japan — Tokyo Ex. ---------- 家賃が高い rent is high	全シリーズ — シリーズ1 all series — series 1 ① ---------- おもしろい interesting	世界の国 — 中国 world countries — China ② ---------- 人口が多い have a large population
日本料理 — 寿司 Japanese cuisine — sushi ③ ---------- 好き favorite	家族 — 姉 family — big sister ④ ---------- 背が低い short (height)	1年 — 6月 one year — June ⑤ ---------- ひま not busy

Let's practice using phrases ①-⑤ in a conversation.
Come up with your own answer for the parts on the dotted lines.

Ex. A：東京(とうきょう)の中(なか)で、どこが一番(いちばん)おもしろいですか。

B：原宿(はらじゅく)が一番(いちばん)おもしろいです。

A: What is the most interesting place in Tokyo?
B: Harajuku is the most interesting.

東京(とうきょう) Tokyo	家族(かぞく) family	季節(きせつ) season
Ex.	①	②
どこ where	誰(だれ) who	いつ when
1週間(しゅうかん) one week	映画(えいが) movie	世界(せかい) world
③	④	⑤
何曜日(なんようび) what day	何(なに) what	どの国(くに) which country

Ask your partner what the best (food, fun place, celebrity etc.) in his/her country is.

Ex. A：フランスの食(た)べ物(もの)の中(なか)で、何(なに)が一番(いちばん)おいしいですか。

B：チーズが一番(いちばん)おいしいと思(おも)います。

チーズ cheese

Sentence Pattern 3 形容詞(けいようし)を使(つか)った表現(ひょうげん) Expressions Using Adjectives

東京(とうきょう)は人(ひと)が多(おお)くてにぎやかです。

Tokyo is full of people and lively.

NOTE
X は [I-adjective ~~い~~] くて [I-adjective]
X は [Na-adjective] で [Na-adjective] (= X is A and B)

The Te-form is used when using two or more adjectives in a row. It is also used when repeating positive or negative aspects of something. **いい** becomes **よくて**.

Ex. A：東京(とうきょう)はどんなところですか。
B：(東京(とうきょう)は)**人(ひと)が多(おお)くてにぎやかです。**

A: What is Tokyo like?
B: Tokyo is full of people and lively.

Practice A

Track 171

__X__ は_______くて_______。／__X__ は_______で_______。

Let's try to speak using Xは [I-adjective ~~い~~] くて [I-adjective].
Let's also try to speak using X は [Na-adjective] で [Na -adjective].

Ex. 東京(とうきょう)**は**人(ひと)が多(おお)**くて**にぎやかです。

東京(とうきょう) Tokyo Ex. 人(ひと)が多(おお)い／にぎやか full of people / lively	今(いま)のうち current house ① 駅(えき)から近(ちか)い／広(ひろ)い close to the station / is spacious	私(わたし)の町(まち) my town ② 静(しず)か／自然(しぜん)が多(おお)い quiet / lots of nature
この店(みせ)のピザ this restaurant's pizza ③ 安(やす)い／おいしい cheap / tasty	となりの人(ひと) next-door neighbor ④ 意地悪(いじわる)／けち mean / stingy	このプロジェクト this project ⑤ 難(むずか)しい／大変(たいへん) difficult / tough

Let's practice using phrases ①-⑤ in a conversation.

Ex. A：新(あたら)しい先生(せんせい)は、どんな人(ひと)ですか。
B：そうですね…。おしゃれで素敵(すてき)です。

A: What is the new teacher like?
B: Well... He/she is stylish and nice.

新(あたら)しい先生(せんせい) new teacher Ex. おしゃれ／素敵(すてき) stylish / nice	今(いま)のルームメート current roommate ① まじめ／頭(あたま)がいい diligent / smart	ジョンさんの奥(おく)さん John-san's wife ② やさしい／きれい kind / beautiful
今度(こんど)の上司(じょうし) the new boss ③ 意地悪(いじわる)／怖(こわ)い mean / scary	会社(かいしゃ)の先輩(せんぱい) senior co-worker ④ かっこいい／おもしろい cool / humorous	近藤(こんどう)さん Kondō-san ⑤ 静(しず)か／シャイ quiet / shy

Talk with your partner about what kind of place or person the items listed below are.

Ex. 今(いま)のうちは駅(えき)から少(すこ)し遠(とお)いですが、きれいです。部屋(へや)が広(ひろ)くて新(あたら)しいです。

Topics

- 住(す)んでいるうち／町(まち)
  the house/town one lives in
- 学校(がっこう)／会社(かいしゃ)
  school/company
- パートナー（彼(かれ)／彼女(かのじょ)）
  partner（boyfriend/girlfriend）

Sentence Pattern 4 形容詞(けいようし)を使(つか)った表現(ひょうげん) Expressions Using Adjectives

このラーメンは**おいしそうです**。

This ramen looks tasty.

NOTE X は [I-adjective ~~い~~] そうです／ X は [Na-adjective] そうです (= look ...)
Used when expressing one's impression, although uncertain if it is actually true. **いい** (good) is **よさそう** (looks good), the negative form will be **～なさそう**, as in **おいしくなさそう** (doesn't look tasty).

Ex. A：このラーメン、**おいしそうです**ね。
B：そうですね。でも、チャーハンは **おいしくなさそうです**ね。

A: This ramen looks tasty.
B: Yes, but the fried rice doesn't look so good.

Practice A ＿X＿は＿＿＿＿＿そうです。
Let's try to speak using Xは[I-adjective ~~い~~]そうです／Xは[Na-adjective]そうです.
Let's also try to speak using Xは[I-adjective ~~い~~]くなさそうです／Xは[Na-adjective]じゃなさそうです.

Ex. このラーメンはおいしそうです。／このラーメンはおいしくなさそうです。

このラーメン this ramen Ex. ------ おいしい tasty	新(あたら)しいアプリ new application ① ------ 便利(べんり) convenient	明日(あした) tomorrow ② ------ 天気(てんき)がいい weather is good
となりの犬(いぬ) the dog next door ③ ------ 頭(あたま)がいい smart	あの店(みせ)のマフィン that store's muffins ④ ------ 甘(あま)い sweet	先生(せんせい) teacher ⑤ ------ 大変(たいへん) tough

Let's practice using phrases ①-⑤ in a conversation.

Ex. A：このケーキ、カロリーが高(たか)そうですね。
B：そうですね。甘(あま)そうですね。

A: This cake seems to be high in calories.
B: Yes, it looks sweet.

ケーキ
cake
Ex.
カロリーが高(たか)い／甘(あま)い
high in calories / sweet
本(ほん)
book
①
難(むずか)しい／おもしろくない
difficult / not interesting
アパート
apartment
②
古(ふる)い／部屋(へや)が暗(くら)い
old / rooms is dark
スーツ
suit
③
高(たか)い／着(き)やすい
expensive / comfortable to wear
バッグ
bag
④
持(も)ちやすい／軽(かる)い
easy to carry / light
映画(えいが)
movie
⑤
怖(こわ)い／おもしろい
scary / interesting

You are planning a trip with your friend. Compare the pictures of the hotels below and discuss which hotel you would prefer with your friend.

・きれい、新(あたら)しい clean, new ・部屋(へや)がせまい rooms are small ・高(たか)い expensive	・古(ふる)い old ・部屋(へや)が広(ひろ)い rooms are spacious ・安(やす)い cheap

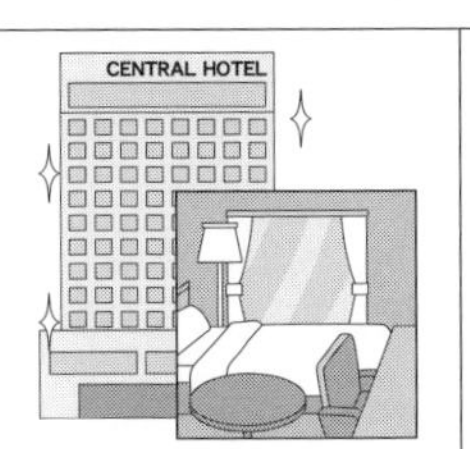

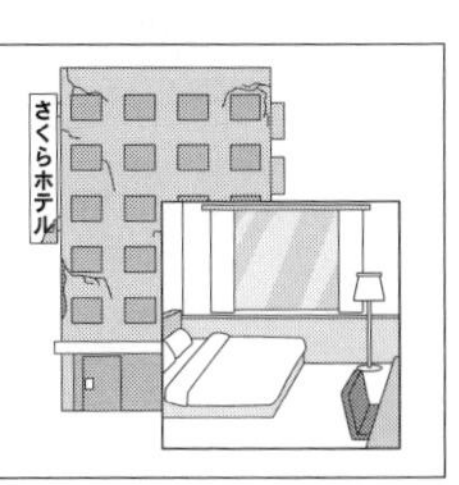

Ex. A：セントラルホテルとさくらホテル、どちらにしましょうか。
B：きれいで新(あたら)しそうだから、セントラルホテルにしませんか。

どちらにしましょうか which do you prefer ～?／～にしませんか why don't we ～?

Sentence Pattern 5 形容詞(けいようし)を使(つか)った表現(ひょうげん) Expressions Using Adjectives

Track 176

日本(にほん)のお菓子(かし)は**甘(あま)すぎます**。

Japanese sweets are too sweet.

NOTE

X は[I-adjective ~~い~~]すぎます／ X は[Na-adjective]すぎます (= too ...)

Used when something exceeds the level that the speaker was expecting, generally in a negative way. **いいです** (is good) becomes **よすぎます** (is too good).

Ex. A：日本(にほん)のお菓子(かし)は**甘(あま)すぎます**。

B：そうですか。／そうですね。

> A: Japanese sweets are too sweet.
> B: Is that so? / That's true.

Practice A

__X__は______すぎます。

Let's try to speak using [I-adjectiv ~~い~~]すぎます / [Na-adjectiv]すぎます.

Track 177

Ex. 日本(にほん)のお菓子(かし)は甘(あま)**すぎます**。

日本(にほん)のお菓子(かし) Japanese sweets Ex. ------ 甘(あま)い sweet	この仕事(しごと) this job ① ------ 大変(たいへん) tough	今週(こんしゅう) this week ② ------ 忙(いそが)しい busy
この店(みせ)のピザ this restaurant's pizza ③ ------ 小(ち)さい small	このクラス this class ④ ------ 静(しず)か quiet	この問題(もんだい) this question ⑤ ------ 簡単(かんたん) easy

Let's practice using phrases ①-⑤ in a conversation.

Ex. A：セミナーはどうでしたか。

B：おもしろかったですが、長（なが）すぎました。

A: How was the seminar?
B: It was interesting but too long.

セミナー seminar Ex. おもしろい／長（なが）い interesting / long	昨日（きのう）の晩（ばん）ご飯（はん） last night's dinner ① おいしい／少（すく）ない tasty / not much	ホテル hotel ② きれい／高（たか）い clean / expensive
映画（えいが） movie ③ いい／ストーリーが複雑（ふくざつ） good / the plot is complicated	この間（あいだ）の飲（の）み会（かい） the drinking party last time ④ 楽（たの）しい／人（ひと）が多（おお）い fun / a lot of people	昨日（きのう）のテスト yesterday's test ⑤ 簡単（かんたん）／時間（じかん）が短（みじか）い easy / time is short

Talk with your partner about what you are unhappy about regarding the following topics.

Ex. A：仕事（しごと）はどうですか。

B：毎日（まいにち）、忙（いそが）しすぎます。

Topics

- 仕事（しごと）／アルバイト
  work/part-time job
- 住（す）んでいるところ
  where you live
- 日本語（にほんご）のクラス
  japanese class

Listening

Listen to the conversation between the man and woman and choose the correct answers.

Q1 Which of the following is true?

1. The woman likes her hairstyle.
2. The woman likes the man's hairstyle.
3. The woman doesn't like her hairstyle very much.

Q2 Which of the following is true?

1. The woman is not so busy these days.
2. The woman is busy these days.
3. The woman and the man are both not busy.

Q3 Which of the following is true?

1. The woman likes baseball more than sumō.
2. The woman doesn't like either sumō or baseball.
3. The woman likes sumō more than baseball.

Q4 What is the man saying?

1. It's cheaper to buy them at the shop.
2. It's cheaper to buy them on the Internet.
3. It's better not to buy cheap shoes.

Shadowing

1. Recite the conversation together with the audio in a soft voice while looking at the text.
2. Recite the conversation together with the audio in a loud voice without looking at the text.

〈Conversation between you and your roommate before visiting a real estate agency〉

M_1：都心(としん)と郊外(こうがい)とどちらのほうがいいですか。

M_2：郊外(こうがい)のほうがいいです。緑(みどり)も多(おお)くて、家賃(やちん)も安(やす)そうです。

M_1：この部屋(へや)はどうですか。南向(みなみむ)きですよ。

M_2：よさそうですね。

M_1：ええ、この中(なか)では、ここが一番(いちばん)いいと思(おも)いますよ。

M_2：この中(なか)では一番(いちばん)よさそうですね。でも、ちょっと駅(えき)から遠(とお)すぎますね。

M_1：とりあえず、見(み)に行(い)きませんか。

M_2：そうですね。そうしましょう。

都心(としん) city center／**郊外**(こうがい) suburb／**南向き**(みなみむ) south-facing／**とりあえず** for now

可能動詞(かのうどうし)を使(つか)った表現(ひょうげん)
Expressions Using Potential Verbs

1 ギターが**弾(ひ)けます**。

I can play the guitar.

2 漢字(かんじ)が**読(よ)めるようになりました**。

I became able to read kanji.

3 ここから富士山(ふじさん)**が見(み)えます**。

I can see Mount Fuji from here.

可能動詞（かのうどうし） Potential Verbs [V-potential]

Group 1 (U-verbs)

辞書形（じしょけい） Dictionary Form			可能動詞（かのうどうし） Potential Verb	
か**う**	ka**u**	➡	か**え**る	ka**e**ru
か**く**	ka**ku**	➡	か**け**る	ka**ke**ru
およ**ぐ**	oyo**gu**	➡	およ**げ**る	oyo**ge**ru
はな**す**	hana**su**	➡	はな**せ**る	hana**se**ru
も**つ**	mo**tsu**	➡	も**て**る	mo**te**ru
よ**む**	yo**mu**	➡	よ**め**る	yo**me**ru
かえ**る**	kae**ru**	➡	かえ**れ**る	kae**re**ru

＊**ある** (aru) and **わかる** (wakaru) don't have potential forms.

Group 2 (Ru-verbs)

辞書形（じしょけい） Dictionary Form			可能動詞（かのうどうし） Potential Verb	
たべ**る**	tabe**ru**	➡	たべ**られる**	tabe**rareru**
ね**る**	ne**ru**	➡	ね**られる**	ne**rareru**
み**る**	mi**ru**	➡	み**られる**	mi**rareru**

＊When speaking, the potential form of Ru-verbs is sometimes used without ら.
Ex. たべ**る** ⇒ たべ**られる** ⇒ たべ**れる**

Group 3 (Irregular Verbs)

辞書形（じしょけい） Dictionary Form			可能動詞（かのうどうし） Potential Verb	
する	**suru**	➡	**できる**	**dekiru**
くる	**kuru**	➡	**こられる**	**korareru**

All Potential Verbs belong to Group 2 (Ru-verbs)

Let's Practice! Track 184

Starting from the Dictionary Form, make the Potential Verb.

Dictionary Form	Meaning	Group	Potential Verb
弾(ひ)く	play (a stringed instrument)	1	
使(つか)う	use	1	
話(はな)す	speak	1	
泳(およ)ぐ	swim	1	
乗(の)る	ride	1	
読(よ)む	read	1	
料理(りょうり)を作(つく)る	cook	1	
走(はし)る	run	1	
申(もう)し込(こ)む	apply	1	
書(か)く	write	1	
行(い)く	go	1	
聞(き)く	listen	1	
見(み)る	watch	2	
起(お)きる	wake up	2	
覚(おぼ)える	memorize	2	
電話(でんわ)をかける	make a call	2	
寝(ね)る	sleep	2	
来(く)る	come	3	
案内(あんない)する	show someone around	3	
運転(うんてん)する	drive	3	

Sentence Pattern 1 可能動詞(かのうどうし)を使(つか)った表現(ひょうげん) Expressions Using Potential Verbs

ギターが**弾(ひ)けます**。

I can play the guitar.

NOTE **[V-potential]** (= can ...)
Used when one has an ability to do something, such as ギターが**弾(ひ)けます** (can play the guitar), or when the circumstances allow or don't allow one to perform, such as 病気(びょうき)で**行(い)けません** (can't go because of illness). The を is often replaced with が, such as in ギターを弾(ひ)きます → ギターが弾(ひ)けます. Particles other than を are used as they are.

Ex. A：ギターが**弾(ひ)けます**か。
B：はい、**弾(ひ)けます。**／いいえ、**弾(ひ)けません。**

A: Can you play the guitar?
B: Yes, I can. / No, I can't.

＿＿＿＿＿＿＿＿＿＿＿＿。
Let's try to speak using [V-potential]. Let's also try speaking in the negative form.

Ex. ギターが**弾(ひ)けます**。／ギターが**弾(ひ)けません**。

Ex. ギターを弾(ひ)く play the guitar	①会議室(かいぎしつ)を使(つか)う use a meeting room	②日本語(にほんご)を話(はな)す speak Japanese
③500メートル泳(およ)ぐ swim 500 meters	④自転車(じてんしゃ)に乗(の)る ride a bicycle	⑤毎朝(まいあさ)６時(じ)に起(お)きる wake up at 6 a.m. every morning

Practice B Let's practice using phrases ①-⑤ in a conversation.

Ex. A：漢字(かんじ)が100字読(じよ)めますか。
B：はい、読(よ)めます。／いいえ、読(よ)めません。

A: Can you read 100 kanji characters?
B: Yes, I can. / No, I can't.

Ex. 漢字(かんじ)を100字(じ)読(よ)む read 100 kanji characters	①日本(にほん)で車(くるま)の運転(うんてん)をする drive a car in Japan	②日本(にほん)の料理(りょうり)を作(つく)る cook Japanese food
③一人(ひとり)で来(く)る come alone	④ここでWi-Fiを使(つか)う use the Wi-Fi here	⑤すぐに人(ひと)の名前(なまえ)を覚(おぼ)える memorize people's names right away

Practice C Talk freely with your partner about skills (PC/foreign language) and special abilities (sports/music/art, etc.) that you and your friends have.

Ex. 私(わたし)は日本語(にほんご)があまり話(はな)せません。でも、英語(えいご)とドイツ語(ご)が話(はな)せます。
あと、簡単(かんたん)な手品(てじな)ができます。

あと in addition／簡単(かんたん) easy／手品(てじな) magic trick

Sentence Pattern 2 可能動詞を使った表現 Expressions Using Potential Verbs

漢字が読めるようになりました。

I became able to read kanji.

NOTE **[V-potential] + ようになりました** (= became able to)
Used when one's ability or circumstances changed to allow a certain condition to occur. If one wants to say that one is unable to do what one was able to do before, use **[V-potential ない] + くなりました** (became unable to) such as 漢字が**書けなくなりました** (I became unable to write kanji).

Ex. A：漢字が読めますか。
B：はい。少し**読めるようになりました。**

A: Can you read kanji?
B: Yes, I became able to read a little.

__________**ようになりました。**
Let's try to speak using [V-potential] + ようになりました.

Ex. 漢字が読める**ようになりました。**

Ex. 漢字を読む read kanji	①10キロ走る run 10 km	②ウェブから申し込む apply on the internet
③無料でアプリのダウンロードをする download apps for free	④日本人の名前を覚える remember Japanese names	⑤日本語で簡単なメールを書く write simple emails in Japanese

Let's practice using phrases ①-⑤ in a conversation.

Ex. A：日本(にほん)の生活(せいかつ)に慣(な)れましたか。

B：はい。今(いま)は<u>納豆(なっとう)が食(た)べられる</u>ようになりました。

A：そうですか。すごいですね。

> A: Are you getting used to life in Japan?
> B: Yes. I became able to eat natto now.
> A: Really? That's amazing.

Ex. 納豆(なっとう)を食(た)べる eat natto	①友(とも)だちと日本語(にほんご)だけで話(はな)す talk with friends in Japanese only	②日本語(にほんご)で電話(でんわ)をかける make a call in Japanese
③一人(ひとり)でどこでも行(い)く go anywhere alone	④敬語(けいご)を使(つか)う use honorifics	⑤東京(とうきょう)を案内(あんない)する show someone around Tokyo

Talk freely with your partner about things you were unable to do before but can do now, or things that you were able to do but cannot do now.

Ex. A：子(こ)どものとき、朝早(あさはや)く起(お)きられましたか。

B：いいえ、起(お)きられませんでした。

A：今(いま)はどうですか。

B：今(いま)は起(お)きられるようになりました。

朝早(あさはや)く early in the morning

Sentence Pattern 3 可能動詞を使った表現 Expressions Using Potential Verbs

ここから富士山が見えます。

I can see Mount Fuji from here.

NOTE ～が見えます／聞こえます (= can be seen / can be heard)

見える (can be seen) and 聞こえる (can be heard) are verbs that express the possibility of being able to do something. They have nuanced meanings of "comes into view naturally" and "can be heard naturally." If this possibility is due to equipment or environmental causes, the potential verb of 見る (see), which is 見られる (can see), and the potential form of 聞く (hear), which is 聞ける (can hear) are used. Ex. うちでケーブルテレビが見られます (can watch cable TV at home), イヤホンで英語のガイドが聞けます (can listen to the English guide using earphones)

Ex. 1) ここから富士山が見えます。
2) 電車の音が聞こえます。

1) I can see Mount Fuji from here.
2) I can hear the sound of the train.

＿＿＿＿＿が見えます／聞こえます。

Let's try to speak using 見えます／聞こえます. Let's also use the negative form.

Ex. 富士山が見えます／富士山が見えません。

Ex. 富士山 Mount Fuji	①海 the sea	②ホワイトボードの字 the writing on the whiteboard

Ex. 電車の音が聞こえます／電車の音が聞こえません。

Ex. 電車の音 sound of a train	①話し声 voices	②虫の声 sound of insects

Let's practice using phrases ①-③ in a conversation.

Ex. A：見えますか。
B：いいえ、よく見えません。
もっと大きく書いてください。
A：はい、わかりました。

A: Can you see?
B: No, I can't see well.
Please write larger.
A: Okay, I will.

見える can see	見える can see	聞こえる can hear	聞こえる can hear
Ex.	①	②	③
もっと大きく書く write larger	もっと大きくコピーする copy larger	もっとボリュームをあげる turn up the volume	もう少し大きい声で話す speak a little louder

Select the correct one.

1）見える／見られる

①フィンランドやノルウェーに行ったら、オーロラが ＜見えます／見られます＞ 。
②このビデオデッキではブルーレイは ＜見えません／見られません＞。
③東京の美術館で、5月までピカソの絵が ＜見えます／見られます＞。
④年を取ると、小さい字が ＜見えなく／見られなく＞ なります。

2）聞こえる／聞ける

①インターネットでラジオが ＜聞こえます／聞けます＞。
②夏になると、毎朝せみの鳴き声が ＜聞こえます／聞けます＞。
③無料期間が終わったので、このアプリでは音楽が ＜聞こえなく／聞けなく＞ なりました。
④今イヤホンがないので、電車で音楽が ＜聞こえません／聞けません＞。

フィンランド Finland／ノルウェー Norway／オーロラ aurora／ビデオデッキ video player／
ブルーレイ Blu-ray／ピカソ Picasso／年を取る age／せみ cicada／無料期間 free period／イヤホン earphone

Listening

Listen to the conversation between the man and woman and choose the correct answers.

Q1 Which of the forrowing is true?

1. Only the woman can play the piano.
2. Both the man and the woman can play the piano
3. Neither the man nor the woman cannot play the piano.

Q2 Which of the forrowing is true?

1. The grandfather cannot hear well.
2. The grandfather doesn't understand Japanese.
3. The grandfather cannot see well.

Q3 Which of the forrowing is true?

1. The man updated the iOS.
2. The man could not download the application.
3. The man did not know how to download the application.

Q4 What is the woman's goal?

1. She wants to be able to speak Japanese.
2. She wants to be able to write Japanese.
3. She wants to be able to read Japanese.

Shadowing

1. Recite the conversation together with the audio in a soft voice while looking at the text.
2. Recite the conversation together with the audio in a loud voice without looking at the text.

〈Conversation after coincidentally meeting a friend at the movie theater〉

M：あ、アメリさん。アメリさんも、この映画(えいが)を見(み)たんですか。

F：ええ、すごくよかったですね。

M：それが…。実(じつ)は、一番前(いちばんまえ)の席(せき)だったので、字幕(じまく)がよく見(み)えなかったんです。

F：え？

M：字幕(じまく)が読(よ)めなくて、あまりストーリーがわかりませんでした。

F：フランスの映画(えいが)でしたからね。

M：２年前(ねんまえ)からフランス語(ご)を勉強(べんきょう)していますが、まだまだです。

F：そうですか。

M：早(はや)くフランス語(ご)がわかるようになりたいです。

実(じつ)は actually／**字幕(じまく)** subtitles／**ストーリー** story

UNIT 10 UNIT

普通形(ふつうけい)を使(つか)った表現(ひょうげん)②
Expressions Using Plain Form ②

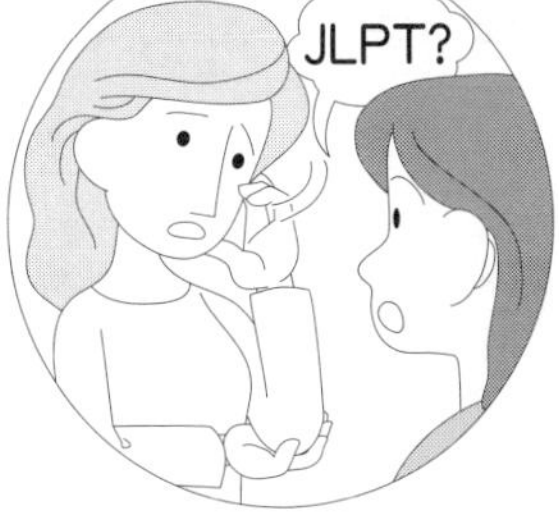

1 部長(ぶちょう)はまだ会議室(かいぎしつ)に**いるはずです**。

The manager should still be in the meeting room.

2 仕事(しごと)が**忙(いそが)しいので、**レッスンを休(やす)みます。

I'll miss the lesson because I'm busy at work.

3 これは**沖縄(おきなわ)で撮(と)った写真(しゃしん)**です。

This is a photo taken in Okinawa.

4 JLPT を**受(う)けるかどうかわかりません**。

I don't know if I'll take the JLPT or not.

5 彼女(かのじょ)が**何時(なんじ)に来(く)るかわかりません**。

I don't know what time she will come.

普通形(ふつうけい)　Plain Form (Non Past / Past)　[Plain]

Let's Practice!

Starting from the Polite Form, make the Plain Form.

Verbs

行(い)きます⇒　行(い)きません⇒　行(い)きました⇒　行(い)きませんでした⇒

います⇒　いません⇒　いました⇒　いませんでした⇒

届(とど)きます⇒　届(とど)きません⇒　届(とど)きました⇒　届(とど)きませんでした⇒

来(き)ます⇒　来(き)ません⇒　来(き)ました⇒　来(き)ませんでした⇒

テストがあります⇒　テストがありません⇒　テストがありました⇒

テストがありませんでした⇒

予約(よやく)できます⇒　予約(よやく)できません⇒　予約(よやく)できました⇒　予約(よやく)できませんでした⇒

お金(かね)がおろせます⇒　お金(かね)がおろせません⇒　お金(かね)がおろせました⇒

お金(かね)がおろせませんでした⇒

持(も)っています⇒　持(も)っていません⇒　持(も)っていました⇒　持(も)っていませんでした⇒

風邪(かぜ)をひきます⇒　風邪(かぜ)をひきません⇒　風邪(かぜ)をひきました⇒

風邪(かぜ)をひきませんでした⇒

けがをします⇒　けがをしません⇒　けがをしました⇒　けがをしませんでした⇒

疲(つか)れます⇒　疲(つか)れません⇒　疲(つか)れました⇒　疲(つか)れませんでした⇒

撮(と)ります⇒　撮(と)りません⇒　撮(と)りました⇒　撮(と)りませんでした⇒

使(つか)います⇒　使(つか)いません⇒　使(つか)いました⇒　使(つか)いませんでした⇒

乗(の)ります⇒　乗(の)りません⇒　乗(の)りました⇒　乗(の)りませんでした⇒

歌(うた)います⇒　歌(うた)いません⇒　歌(うた)いました⇒　歌(うた)いませんでした⇒

食(た)べます⇒　食(た)べません⇒　食(た)べました⇒　食(た)べませんでした⇒

I-adjectives

Track 200

高(たか)いです⇒　高(たか)くないです⇒　高(たか)かったです⇒　高(たか)くなかったです⇒

忙(いそが)しいです⇒　忙(いそが)しくないです⇒　忙(いそが)しかったです⇒　忙(いそが)しくなかったです⇒

具合(ぐあい)が悪(わる)いです⇒　具合(ぐあい)が悪(わる)くないです⇒　具合(ぐあい)が悪(わる)かったです⇒

具合(ぐあい)が悪(わる)くなかったです⇒

天気(てんき)がいいです⇒　天気(てんき)がよくないです⇒　天気(てんき)がよかったです⇒

天気(てんき)がよくなかったです⇒

難(むずか)しいです⇒　難(むずか)しくないです⇒　難(むずか)しかったです⇒　難(むずか)しくなかったです⇒

Na-adjectives

元気(げんき)です⇒　元気(げんき)じゃないです⇒　元気(げんき)でした⇒　元気(げんき)じゃなかったです⇒

上手(じょうず)です⇒　上手(じょうず)じゃないです⇒　上手(じょうず)でした⇒　上手(じょうず)じゃなかったです⇒

好(す)きです⇒　好(す)きじゃないです⇒　好(す)きでした⇒　好(す)きじゃなかったです⇒

Nouns

休(やす)みです⇒　休(やす)みじゃないです⇒　休(やす)みでした⇒　休(やす)みじゃなかったです⇒

無料(むりょう)です⇒　無料(むりょう)じゃないです⇒　無料(むりょう)でした⇒　無料(むりょう)じゃなかったです⇒

会議(かいぎ)です⇒　会議(かいぎ)じゃないです⇒　会議(かいぎ)でした⇒　会議(かいぎ)じゃなかったです⇒

Review how to make the Plain Form (Non past). ⇒ See p.96, p.97
Review how to make the Plain Form (Past). ⇒ See p.104, p.105

Sentence Pattern 1 普通形を使った表現② Expressions Using Plain Form②

部長はまだ会議室に**いるはずです**。

The manager should still be in the meeting room.

NOTE **[Plain] + はずです** (= should be)
＊[Na-adjective]だな + はずです　＊[N]だの + はずです
Used to express a conclusion based on facts or reasoning as understood by the speaker. The past tense is **[Plain] + はずでした** (should have been), as in **[Plain] + はずだったんですが** (it should have been, but ...), which is used when the opposite result of what the speaker expected happens. Ex. 10時の新幹線に**乗るはずだったんですが**、乗り遅れました。(I was supposed to take the 10 o'clock shinkansen, but I missed it.)

Ex. A：部長はいますか。
B：まだ会議室に**いるはずです**よ。

A: Is the manager still here?
B: He should still be in the meeting room.

＿＿＿＿＿はずです。
Let's practice using [Plain] + はずです.

Ex. 部長はまだ会議室にいる**はずです。**

Ex. 部長はまだ会議室にいます the manager is still in the meeting room	①地下鉄一本で行けます can go using one subway line	②明日までに届きます be delivered by tomorrow
③クレジットカードが使えます can use a credit card	④月曜日は休みです Monday is a holiday	⑤田中さんは来ません Tanaka-san won't come

Let's practice using phrases ①-⑤ in a conversation.

Ex. A：<u>ATMはどこにありますか</u>。

B：<u>コンビニにある</u>はずです。

> A: Where is the ATM?
> B: It should be in a convenience store.

Ex.	ATMはどこにありますか	where is the ATM	コンビニにあります	in the convenience store
①	どこで予約(よやく)できますか	where can I make a reservation	ウェブから英語(えいご)で予約(よやく)できます	can make a reservation in English online
②	田中(たなか)さんの出身(しゅっしん)はどこですか	where is Tanaka-san from	長崎(ながさき)です	Nagasaki
③	どこでお金(かね)がおろせますか	where can I withdraw money	コンビニでおろせます	can withdraw at the convenience store
④	イさんは何(なん)か国語(こくご)が話(はな)せますか	how many languages can Li-san speak	4か国語(こくご)話(はな)せます	can speak four languages
⑤	誰(だれ)が資料(しりょう)を持(も)っていますか	who has the documents	岡村(おかむら)さんが持(も)っています	Okamura-san has them

Report to your friend about something that did not go as planned at your co-worker's birthday party.

Ex. A：田中(たなか)さんの誕生日(たんじょうび)パーティーはどうでしたか。

B：それが…。ゲストが15人(にん)来(く)るはずだったんですが、

5人(にん)しか来(き)ませんでした。

A：そうですか。

B：それに、レストランにプロジェクターがあるはずだったんですが、

ありませんでした。

> **それが…** (in response to a question) well, actually ...／**しか〜ない** only (followed by a negative form)／
> **それに** in addition／**プロジェクター** projector

Sentence Pattern 2 普通形(ふつうけい)を使(つか)った表現(ひょうげん)② Expressions Using Plain Form②

Track 206

仕事(しごと)が忙(いそが)しいので、レッスンを休(やす)みます。

I'll miss the lesson because I'm busy at work.

NOTE **[Plain] + ので、〜** (= since, because)

＊[Na-adjective]~~だ~~な + ので　＊[N]~~だ~~な + ので

Used to convey a cause or reason, as well as the result. Used as cause/reason ので、result. ので (because of ...) is a more courteous expression than から (because of ...).

Ex. A：明日(あした)、レッスンに来(き)ますか。

B：すみません。仕事(しごと)が**忙(いそが)しいので**、(レッスンを)休(やす)みます。

A: Will you come to the lesson tomorrow?

B: Sorry, but I'll miss it because I'm busy at work.

Practice A

＿＿＿＿＿**ので、**＿＿＿＿＿。

Let's practice using [Plain] + ので.

Track 207

Ex. 仕事(しごと)が忙(いそが)しい**ので**、レッスンを休(やす)みます。

Ex. 仕事(しごと)が忙(いそが)しいです be busy at work	①あさって会議(かいぎ)です have a meeting the day after tomorrow	②具合(ぐあい)が悪(わる)いです not feeling well
③急用(きゅうよう)ができました something came up	④風邪(かぜ)をひきました catch a cold	⑤けがをしました be injured

Practice B Let's practice using phrases ①-⑤ in a conversation.

Ex. A：Bさん、昨日何をしましたか。

B：来週テストがあるので、勉強しました。

A：そうですか。

> A: B-san, what did you do yesterday?
> B: I studied because I have a test next week.
> A: I see.

来週テストがあります have a test next week Ex. 勉強しました studied	日本に家族が来ました the family came to Japan ① 食事に行きました went out for a meal	今週国から友だちが来ます one's friend will come from one's country this week ② 部屋を掃除しました cleaned one's room
天気がよかったです the weather was fine ③ 散歩しました took a walk	1日休みでした was off work the whole day ④ 映画を見に行きました went to see a movie	疲れていました was tired ⑤ 何もしませんでした did not do anything

Practice C You and your coworker are to accompany a foreign VIP. Come up with an itinerary with your coworker based on the following information about the VIP.

Ex. A：どこに連れていきましょうか。

B：彼は温泉が好きなので、
日光はどうですか。

Information about the VIP

- 温泉が好きです enjoys hot springs
- 日本は初めてです first time in Japan
- 荷物が多いです carries a lot of luggage
- 肉がダメです cannot eat meat
- スポーツが好きです enjoys sports
- 小さい子どもがいます has a child

日光 Nikko

Sentence Pattern 3 普通形を使った表現②(ふつうけい つか ひょうげん) Expressions Using Plain Form②

これは**沖縄(おきなわ)で撮(と)った写真(しゃしん)**です。

This is a photo taken in Okinawa.

NOTE **[Plain] + N**

＊[Na-adjective]だな + N　＊[N]だの + N

When a word is used to qualify a noun, it is placed before the noun it qualifies. The qualifying phrase should be in plain form. The postpositional particle of the subject of the noun qualifying phrase will be が. Ex. これは**父(ちち)がくれた**[**時計(とけい)**]です。(This is a watch that my father gave me.)

Ex. A：これは**沖縄(おきなわ)で撮(と)った写真(しゃしん)**です。

B：へえ、いいですね。

A: This is a photo taken in Okinawa.
B: Oh, that's nice.

Track 210

Practice A ＿＿＿＿＿ [　] です。

Let's practice using [Plain] + Nです.

Ex. 沖縄(おきなわ)で撮(と)った [写真(しゃしん)] です。

沖縄(おきなわ)で撮(と)りました taken in Okinawa Ex. ---------- 写真(しゃしん) a photo	よく使(つか)っています using it often ① ---------- アプリ an app	最近(さいきん)できました opened recently ② ---------- 店(みせ) shop
毎日(まいにち)乗(の)ります ride every day ③ ---------- 電車(でんしゃ) train	昔(むかし)住(す)んでいました used to live here ④ ---------- 町(まち) town	子(こ)どものとき歌(うた)いました sang when one was a child ⑤ ---------- 歌(うた) song

Let's practice using phrases ①-⑤ in a conversation.

Ex. A：Bさんは、どんな人（ひと）が好（す）きですか。
B：うーん。私（わたし）は何（なん）でも食（た）べる人（ひと）が好（す）きです。
A：そうですか。

A: B-san, what kind of person do you like?
B: I like someone who can eat anything.
A: I see.

人（ひと）が好（す）きです like a person Ex. 何（なん）でも食（た）べます will eat anything	本（ほん）を読（よ）みます read a book ① あまり難（むずか）しくないです not very difficult	町（まち）に行（い）きたいです want to go to a town ② おもしろい店（みせ）があります there is an interesting shop
先生（せんせい）がいいです the teacher is good ③ 字（じ）が上手（じょうず）です have good handwriting	仕事（しごと）がしたいです want to work ④ 人（ひと）と話（はな）します talk with people	アプリを使（つか）っています using an app ⑤ 無料（むりょう） free (of cost)

What kind of holiday do you want to have? Talk freely with your partner about your ideal holiday.

Ex. 長（なが）い休（やす）みがあったら、海（うみ）が見（み）えるホテルに泊（と）まりたいです。仲（なか）のいい友（とも）だちと、世界（せかい）で一番（いちばん）有名（ゆうめい）なシェフが作（つく）った料理（りょうり）を食（た）べて、ゆっくりおしゃべりをしたいです。

泊（と）まる stay overnight／仲（なか）のいい友（とも）だち good friends／シェフ chef／ゆっくり relax／おしゃべり（を）する talk, chat

Sentence Pattern 4 普通形(ふつうけい)を使(つか)った表現(ひょうげん)② Expressions Using Plain Form②

JLPTを受(う)けるかどうかわかりません。

I don't know if I'll take the JLPT or not.

NOTE **[Plain] + かどうかわかりません** (= I don't know if ...)
＊[Na-adjective]~~だ~~ + かどうか　＊[N]~~だ~~ + かどうか
[Plain] + かどうか is used when nominalizing an interrogative sentence that does not include interrogatives. It is used with verbs such as **わかりません** (I don't know), **決(き)めていません** (I haven't decided) and **覚(おぼ)えていません** (I don't remember).

Ex. A：今年(ことし)はJLPTを受(う)けますか。
B：(JLPTを)**受(う)けるかどうかわかりません。**

A: Will you take the JLPT this year?
B: I don't know if I'll take the test or not.

＿＿＿＿＿**かどうかわかりません。**
Let's try to speak using [Plain] + かどうかわかりません.

Ex. JLPTを受(う)ける**かどうかわかりません。**

Ex. JLPTを受(う)けますか take the JLPT	①引(ひ)っ越(こ)しますか move	②レッスンを続(つづ)けますか continue lessons
③お金(かね)を払(はら)いましたか paid money	④うまくいきましたか went well	⑤合格(ごうかく)しましたか passed (a test)

Practice B Let's practice using phrases ①-⑤ in a conversation.

Track 214

Ex. A：今日５時半に会社を出られますか。
B：うーん。出られるかどうかわかりません。

> A: Can you leave the office today at 5:30 p.m.?
> B: Hmm. I don't know if I can leave or not.

今日5時半に会社を出られますか can leave today at 5:30 Ex. わかりません don't know.	3年後、東京に住んでいますか live in Tokyo three years from now ① わかりません don't know	近藤さんの送別会に行きますか go to Kondō-san's farewell party ② 決めていません haven't decided yet
出かけるまえに鍵をかけましたか locked (the door) before leaving ③ 覚えていません don't remember	領収書をもらいましたか got a receipt ④ 忘れました forgot	明日、会議がありますか there is a meeting tomorrow ⑤ わかりません don't know

Practice C Discuss with your partner what kind of life you will be living ten years from now. Use ～かどうか for things you don't know.

Ex. A：10年後、日本に住んでいますか。
B：ええ、住んでいると思います。
／さあ、住んでいるかどうかわかりません。

10 years from now...

- 日本に住んでいます
  be living in Japan
- 日本語の勉強を続けています
  continue to study Japanese
- 仕事をしています
  be working

さあ I don't know [in casual speech]

Sentence Pattern 5 普通形を使った表現② Expressions Using Plain Form②

彼女が何時に来るかわかりません。

I don't know what time she will come.

NOTE **[Interrogative] + [Plain] + かわかりません** (= don't know whether)
何／いつ／誰／どこ／なぜ + [Plain] +か is used when nominalizing an interrogative sentence that include interrogatives. It is used with verbs such as **わかりません** (I don't know), **決めていません** (I haven't decided) and **覚えていません** (I don't remember). In this case, the postpositional particle of the subject will be **が**.

Ex.
A :彼女は何時に来ますか。
B :(彼女が)**何時に来るかわかりません。**

A: What time will she come ?
B : I don't know what time she will come.

__________かわかりません。
Let's try to speak using [Interrogative] + [Plain] + かわかりません.

Ex. 彼女が何時に来る**かわかりません。**

Ex. 彼女は何時に来ますか what time will she come	①誰に頼みますか who will you ask	②どんなホテルに泊まりますか what kind of hotel will you stay at
③ジュリアさんはどこに住んでいますか where does Julia live	④ジュリアさんはどんな仕事をしていましたか what kind of job did Julia have	⑤ジュリアさんは誰とつきあっていましたか who was Julia dating

Let's practice using phrases ①-⑤ in a conversation.

Ex. A：いつ国(くに)に帰(かえ)りますか。
B：いつ帰(かえ)るかまだ決(き)めていません。

A: When will you return to your country?
B: I haven't decided when yet.

いつ国(くに)に帰(かえ)りますか when to return to one's country Ex. まだ決(き)めていません haven't decided yet.	どんな会社(かいしゃ)に転職(てんしょく)しますか what kind of company to change to ① まだ決(き)めていません haven't decided yet	週末(しゅうまつ)、どこに行(い)きますか where to go this weekend ② まだ決(き)めていません haven't decided yet
ここまでどうやって来(き)ましたか arrived here how ③ 覚(おぼ)えていません don't remember	そのシャツはいくらでしたか how much was that shirt ④ 覚(おぼ)えていません don't remember	面接(めんせつ)で何(なに)を話(はな)しましたか talk about what at the interview ⑤ 覚(おぼ)えていません don't remember

You went on a first date but you were nervous and don't remember it very well. Answer your friend's questions.

Ex. A：初(はじ)めてのデートは、いつでしたか。
B：18歳(さい)のときでした。
A：彼女(かのじょ)／彼(かれ)はどんな服(ふく)を着(き)ていましたか。
B：どんな服(ふく)を着(き)ていたかぜんぜん覚(おぼ)えていません。

ぜんぜん〜ない not at all

Listening

Listen to the conversation between the man and woman and choose the correct answers.

Q1 Why did the man quit his job?

1. The job was boring.
2. The job was busy.
3. The pay was low.

Q2 Which of the following is true?

1. The man knows Tanaka-san's address.
2. The man knows whether or not Tanaka-san is married.
3. The man doesn't know Tanaka-san's address or whether he is married.

Q3 What did the woman do over the weekend?

1. She went to a picnic.
2. She worked.
3. She caught a cold.

Q4 Which of the following is true?

1. The name of the bar the two went to is Mojito.
2. The two went to an izakaya with a bar counter.
3. The woman wants to know the name of the bar they went to the day before yesterday.

Shadowing

1. Recite the conversation together with the audio in a soft voice while looking at the text.
2. Recite the conversation together with the audio in a loud voice without looking at the text.

〈Conversation with a receptionist at a school office〉

F：岡村先生(おかむらせんせい)はまだいますか。
M：夜(よる)のクラスがあるので、まだいるはずですが…。教室(きょうしつ)にいませんか。
F：はい。
M：じゃあ、晩(ばん)ご飯(はん)を食(た)べに行(い)ったかもしれませんね。
F：６時(じ)までに戻(もど)ってきますか。
M：うーん、その時間(じかん)までに戻(もど)ってくるかどうかわかりません。
F：そうですか。じゃあ、この宿題(しゅくだい)を先生(せんせい)に渡(わた)していただけませんか。
M：わかりました。
F：よろしくお願(ねが)いします。

戻(もど)ってくる come back／渡(わた)す pass

Have a Try! （UNIT 8 – UNIT 10）

Use the sentence patterns indicated by the ✓ for speech practice and role-playing.

① Speech

Name the two best cities or countries in the world that you have visited in the past. Talk about what is good about those places and compare them.

✓[V-た]＋ことがあります　✓[Plain]＋と思います　✓[Plain]＋ので、～
✓[V- potential]　✓[I-adjective~~い~~]くて／[Na-adjective]で～
✓AよりBのほうが[Adjective]

Ex. 私はオーストラリアとベトナムに行ったことがあります。オーストラリアは広くて、とても住みやすいと思います。でも、オーストラリアよりベトナムのほうが物価が安いので、長くいられます。食べ物も安くておいしいです。・・・

オーストラリア　Australia／ベトナム　Vietnam／住みやすい　livable／でも　but／物価が安い　prices are low

② Speech

How is your Japanese now compared to before? Talk about what you are able to do now. Also talk about what you want to be able to do in the future.

✓[V- potential]　✓[V-た]＋り [V-た]＋り ～
✓[V- potential]＋ようになりました　✓[Plain]＋ので、～
✓[V-~~ます~~]＋たいです

Ex. 私は国で日本語がぜんぜんできませんでした。でも、今は漢字を読んだり書いたりできるようになりました。まだ上手に話せないので、もっと勉強して、もっと話せるようになりたいです。

ぜんぜん～ない　not at all／まだ～ない　not yet／もっと　more

③ **Role-playing**

A: You came to a travel agency to discuss your trip. Use the list below to ask the staff at the counter for information about your destination.

✓ [V-~~ます~~] ＋たいです

B: You are a new employee at a travel agency. You cannot answer all of the questions that the customers have. Tell the customer that you don't know the answer and will look into it immediately.

✓ [Plain] ＋かどうか ～

✓ [Interrogative] ＋ [Plain] ＋か ～

Ex.

A：ラオスに行(い)きたいんですが、いつがベストシーズンですか。

B：いつがベストシーズンかわかりません。すみません、すぐに調(しら)べます。

・・・

ラオス　Laos／行(い)きたいんですが　want to go／すぐに　immediately

List

- When is the best season?
- What kind of good food is available?
- Can credit cards be used at the stores?
- Necessary to tip?
- Is wi-fi connection available?

チップを払(はら)う　tip

て形を使った表現③
Expressions Using Te-form ③

1 自分で**作ってみます**。

I'll try to make it myself.

2 **予約しておきます**。

I'll make the reservation (in advance).

3 桜が**咲いています**。

The cherry blossoms are blooming.

4 財布を**落としてしまいました**。

Unfortunately, I dropped my wallet.

て形(けい) Te-form [V-て]

Let's Practice! (Track 223)

Starting from the Dictionary Form, make the Te-form.

Dictionary Form	Meaning	Group	Te-form
落(お)とす	drop	1	
待(ま)つ	wait	1	
使(つか)う	use	1	
店(みせ)が開(あ)く	shop opens	1	
読(よ)む	read	1	
鍵(かぎ)をなくす	lose a key	1	
ゴミを出(だ)す	take out trash	1	
こぼす	spill	1	
しまう	put away	1	
渡(わた)す	pass	1	
頼(たの)む	ask	1	
咲(さ)く	bloom	1	
エアコンがつく	air conditioning is on	1	
席(せき)が空(あ)く	seat is available	1	
転(ころ)ぶ	fall	1	
残(のこ)る	remain	1	
あまる	left over	1	
入(はい)る	be in	1	
鍵(かぎ)がかかる	be locked	1	
壊(こわ)れる	break	2	

Dictionary Form	Meaning	Group	Te-form
並(なら)べる	line up	2	
知(し)らせる	inform	2	
忘(わす)れる	forget	2	
データが消(き)える	data is lost	2	
落(お)ちる	drop	2	
間違(まちが)える	mistake	2	
捨(す)てる	throw away	2	
けんかする	fight	3	
寝坊(ねぼう)する	oversleep	3	
保存(ほぞん)する	save	3	
借(か)りてくる	go and borrow	3	

Review how to make the Te-form. **⇒ See p.46**

Sentence Pattern 1 て形(けい)を使(つか)った表現(ひょうげん)③ Expressions Using Te-form③

Track 224

自分(じぶん)で作(つく)ってみます。

I'll try to make it myself.

NOTE **[V-て] + みます** (= will try to do)
Used to express one's interest or curiosity about something one hasn't tried, such as in 自分(じぶん)で**作(つく)ってみます** (I will try to make it myself.), or a feeling that one wants to see the result after a particular action, such as もう少(すこ)し**考(かんが)えてみます** (let me think about it a little more).

Ex. A：この料理(りょうり)、簡単(かんたん)に作(つく)れますよ。
B：そうですか。
じゃあ、自分(じぶん)で**作(つく)ってみます。**

A: You can make this food easily.
B: Okay. Then I'll try to cook it myself.

Practice A

Track 225

__________**てみます。**
Let's try to speak using [V-て] + みます.

Ex. 自分(じぶん)で作(つく)っ**てみます。**

Ex. 自分(じぶん)で作(つく)る I will do it myself	①もう少(すこ)し待(ま)つ wait a little	②インストールする install
③今度(こんど)使(つか)う use next time	④サプリを飲(の)む take supplements	⑤ネットで調(しら)べる look up on the Internet

Practice B Let's practice using phrases ①-⑤ in a conversation.

Ex. A：もう新しい映画を見ましたか。
B：いいえ、まだです。見てみたいです。

A: Did you already see the new movie?
B: No, not yet. But I want to.

Ex. 映画を見る see a movie	①曲を聞く listen to a song	②記事を読む read an article
③お菓子を食べる eat sweets	④カフェに行く go to a cafe	⑤ゲームをする play a game

Practice C Talk with your partner about what you would recommend to them from what you have recently done or started doing.

Ex. A：最近、茶道を始めました。
B：どうでしたか。
A：最初は、正座で足がしびれましたが、おもしろかったです。
B：そうですか。
私もやってみたいです。
A：ぜひやってみてください。

Your recent activities

- 最近、習い事(華道／空手／ヨガ)を始めた。
  I started learning (flower arrangement / karate / yoga).
- 昨日、近所の新しいレストランに行った。
  I went to a new restaurant in the neighborhood yesterday.
- 週末、おもしろい映画を見た。
  I saw an interesting movie over the weekend.

茶道 tea ceremony／正座 sitting on one's knees／足がしびれる one's legs fall asleep／やる do／ぜひ～ indeed

Sentence Pattern 2　て形(けい)を使(つか)った表現(ひょうげん)③　Expressions Using Te-form③

Track 227

予約(よやく)しておきます。

I'll make the reservation (in advance).

NOTE **[V-て] + おきます** (= will do in advance)
Used to express that you'll perform a certain action in preparation for future events/ considerations. Ex. コピーします (I'll copy it) → **コピーしておきます** (I'll copy it for future reference). It may also be used when making a request, such as **コピーしておいてください** (please make a copy for future convenience).

Ex. A：**予約(よやく)しておき**ましょうか。
B：はい、お願(ねが)いします。

A: Shall I make the reservation in advance?
B: Yes, please.

Practice A　＿＿＿＿＿＿**ておきます。**
Let's try to speak using [V-て] + おきます.

Track 228

Ex. 予約(よやく)し**ておきます。**

Ex. 予約(よやく)する make a reservation	①ゴミを出(だ)す take out trash	②チケットを買(か)う buy a ticket
③いすを並(なら)べる line up chairs	④テキストを読(よ)む read a textbook	⑤みんなに連絡(れんらく)する contact everyone

Practice B Let's practice using phrases ①-⑤ in a conversation.

Ex. A：このファイルをしまっておいてください。
B：はい、わかりました。

A: Please put this file away for future use.
B: Okay, I will.

Ex. このファイルをしまう put away this file	①近藤さんにスケジュールを知らせる tell Kondō-san about the schedule	②資料をプリントアウトする print out the documents
③ジョンさんにこれを渡す pass this to John	④このデータを保存する save this data	⑤この仕事を近藤さんに頼む ask Kondō-san to do this job

Practice C You will be taking two weeks off from tomorrow. Ask your coworker to take over some duties.

Ex. A：Bさん、申し訳ないんですが、会議室を予約しておいていただけませんか。
B：わかりました。
A：それから・・・

To-do list

- 会議室を予約する
  reserve a meeting room
- クライアントに会議の時間を伝える
  tell the time of the meeting to a client
- 営業の岡村さんにデータを送る
  send data to Okamura-san in sales
- 会議の資料をコピーする
  copy documents for a meeting

申し訳ないんですが I'm sorry, but...／それから and

Sentence Pattern 3　て形(けい)を使(つか)った表現(ひょうげん)③　Expressions Using Te-form③

桜(さくら)が咲(さ)いています。

The cherry blossoms are blooming.

NOTE　**[V-て] + います** (= has been; is)
When います follows a intransitive verb Te-form, it shows that the resulting change is continuous.　**Transitive Verbs & Intransitive Verbs → see p.199, p.200**

Ex.　A：桜(さくら)が**咲(さ)いています**ね。
B：そうですね。

A: The cherry blossoms are blooming.
B: Yes, they are.

＿＿＿＿＿**ています。**
Let's try to speak using [V-て] + います.

Ex.　桜(さくら)が咲(さ)い**ています。**

Ex. 桜(さくら)が咲(さ)く cherry blossoms bloom	①鍵(かぎ)がかかる be locked	②エアコンがつく air conditioning is on
③電気(でんき)が消(き)える lights go out	④車(くるま)がとまる a car stops	⑤財布(さいふ)が落(お)ちる a wallet drops

Let's practice using phrases ①-⑤ in a conversation.

Ex. A：桜(さくら)はまだ咲(さ)いていますか。
B：はい、まだ咲(さ)いています。
／いいえ、もう咲(さ)いていません。
A：あ、よかったです。／残念(ざんねん)です。

A: Are the cherry blossoms still in bloom?
B: Yes, they are still in bloom.
/ No they aren't.
A: Oh, good. / That's too bad.

桜(さくら) cherry blossoms Ex. 咲(さ)く bloom	席(せき) seat ① 空(あ)く be available	本屋(ほんや) book store ② 開(あ)く open
雪(ゆき) snow ③ 残(のこ)る remain	冷蔵庫(れいぞうこ)にビール beer in the refrigerator ④ 入(はい)る be in	ドーナツ donuts ⑤ あまる be left over

Talk with your partner about the current state of your room.

Ex. A：部屋(へや)の窓(まど)は開(あ)いていますか。
B：いいえ、開(あ)いていません。
A：冷蔵庫(れいぞうこ)に何(なに)が入(はい)っていますか。
B：たまごが入(はい)っていると思(おも)います。

たまご egg

Topics

- 窓(まど) window
- エアコン air conditioner
- カーテン curtain
- ドア door
- 電気(でんき) electricity
- 花(はな) flowers
- 冷蔵庫(れいぞうこ)の中(なか) inside the refrigerator

Sentence Pattern 4 て形(けい)を使(つか)った表現(ひょうげん)③ Expressions Using Te-form③

Track 233

財布(さいふ)を落(お)としてしまいました。

Unfortunately, I dropped my wallet.

NOTE

[V-て] + しまいました (= ended up/unfortunately doing)
Used to express regret over a particular action.

Ex. A：財布(さいふ)を**落(お)としてしまいました。**
B：そうなんですか。大丈夫(だいじょうぶ)ですか。

A: Unfortunately, I dropped my wallet.
B: Really? Are you okay?

Practice A

__________ **てしまいました。**
Let's try to speak using [V-て] + しまいました.

Track 234

Ex. 財布(さいふ)を落(お)とし**てしまいました。**

Ex. 財布(さいふ)を落(お)とす drop a wallet	①寝坊(ねぼう)する oversleep	②友(とも)だちとけんかする fight with friends
③携帯(けいたい)が壊(こわ)れる a cell phone breaks	④データが消(き)える data is lost	⑤教科書(きょうかしょ)を忘(わす)れる forget a textbook

B Let's practice using phrases ①-⑤ in a conversation.

Ex. A：どうしたんですか。

B：コーヒーをこぼしてしまったんです。

A：えっ、大丈夫(だいじょうぶ)ですか。

A: What happened?
B: Unfortunately, I spilled some coffee.
A: Oh, are you okay?

Ex. コーヒーをこぼす spill coffee	①時間(じかん)を間違(まちが)える mistake the time	②テストに遅刻(ちこく)する be late for a test
③駅(えき)で転(ころ)ぶ fall at the station	④大事(だいじ)な資料(しりょう)を捨(す)てる throw away an important document	⑤うちの鍵(かぎ)をなくす lose a house key

C You are unable to go to a lesson. Tell the teacher your reason and apologize.

Ex. A：すみません。今日(きょう)、授業(じゅぎょう)を休(やす)んでもいいですか。

B：どうしたんですか。

A：実(じつ)は、昨日(きのう)から熱(ねつ)が出(で)てしまったんです。

B：そうですか。わかりました。
お大事(だいじ)に。／じゃ、また。

Reason
- 熱(ねつ)が出(で)た had a fever
- けがをした got injured
- 用事(ようじ)ができた had an errand to attend to
- 会議(かいぎ)が入(はい)った a meeting came up

すみません excuse me／実(じつ)は actually／お大事(だいじ)に Get well soon.

Listening

Listen to the conversation between the man and woman and choose the correct answers.

Q1 What is the man going to do?

1. He will make copies.
2. He will prepare documents.
3. He will throw away the trash.

Q2 What will the woman do?

1. The woman will leave the bag at the station.
2. The woman will listen to music at the station.
3. The woman will ask about the bag at the station.

Q3 Which of the following is true?

1. There are open seats on the first floor.
2. There are no open seats on the first floor.
3. The man doesn't know if there are open seats on the first floor.

Q4 What is missing?

Track 239

〈preparing for a party〉

1. Beer
2. Paper cups
3. A refrigerator

Shadowing

1. Recite the conversation together with the audio in a soft voice while looking at the text.
2. Recite the conversation together with the audio in a loud voice without looking at the text.

〈Conversation with a colleague at the gym〉

F_1：まだ雨(あめ)が降(ふ)っていますか。

F_2：ええ、さっきよりひどいですよ。

F_1：どうしよう。傘(かさ)を忘(わす)れてきてしまいました。

F_2：ロッカールームに忘(わす)れ物(もの)の傘(かさ)がたくさんあると思(おも)いますよ。

F_1：そうですね。受付(うけつけ)の人(ひと)に聞(き)いてみます。

F_2：じゃあ、すみませんが、私(わたし)のも借(か)りてきてください。

F_1：え、ユキさんも傘(かさ)がないんですか。

F_2：実(じつ)は壊(こわ)れてしまって…。

F_1：そうですか。ユキさんのも借(か)りてきます。

F_2：ありがとうございます！

さっき a while ago／**ひどい** heavy／**どうしよう** What shall I do?／**ロッカールーム** locker room／**受付(うけつけ)の人(ひと)** receptionist／**実(じつ)は** actually／**壊(こわ)れる** be broken

条件形を使った表現
じょうけんけい　つか　ひょうげん
Expressions Using Conditional Form

1 タクシーに**乗れば**、間に合います。
の　ま　あ

You can make it if you take a taxi.

---

2 もっと**勉強すればよかったです**。
べんきょう

I should have studied harder.

---

3 **どうやって注文すればいいですか**。
ちゅうもん

How should I order?

条件形（じょうけんがた） Conditional Form [V-conditional]

Group 1 (U-verbs)

辞書形（じしょけい） Dictionary Form			条件形（じょうけんけい） Conditional Form	
か**う**	ka**u**	➡	か**え**ば	ka**e**ba
か**く**	ka**ku**	➡	か**け**ば	ka**ke**ba
およ**ぐ**	oyo**gu**	➡	およ**げ**ば	oyo**ge**ba
はな**す**	hana**su**	➡	はな**せ**ば	hana**se**ba
も**つ**	mo**tsu**	➡	も**て**ば	mo**te**ba
よ**む**	yo**mu**	➡	よ**め**ば	yo**me**ba
かえ**る**	kae**ru**	➡	かえ**れ**ば	kae**re**ba

Group 2 (Ru-verbs)

辞書形（じしょけい） Dictionary Form			条件形（じょうけんけい） Conditional Form	
たべ**る**	tabe**ru**	➡	たべ**れば**	tabe**reba**
ね**る**	ne**ru**	➡	ね**れば**	ne**reba**
み**る**	mi**ru**	➡	み**れば**	mi**reba**

Group 3 (Irregular Verbs)

辞書形（じしょけい） Dictionary Form			条件形（じょうけんけい） Conditional Form	
する	**suru**	➡	**すれば**	**sureba**
くる	**kuru**	➡	**くれば**	**kureba**

＊Nai-form becomes **[V-なければ]**. **Ex.** たべ**ない** ⇒ たべ**なければ**

＊Nai-form of ある is ない. **ない** becomes **なければ**.

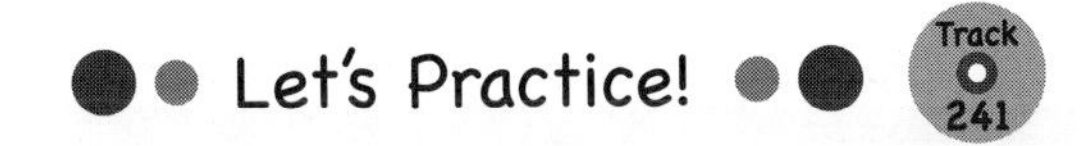

Starting from the Dictionary Form, make the Conditional Form.

Dictionary Form	Meaning	Group	Conditional Form
申(もう)し込(こ)む	apply	1	
タクシーに乗(の)る	take a taxi	1	
許可(きょか)をもらう	get permission	1	
持(も)っていく	take (something)	1	
払(はら)う	pay	1	
待(ま)つ	wait	1	
出(だ)す	submit	1	
働(はたら)く	work	1	
調(しら)べる	look (something) up	2	
取(と)りかえる	change	2	
集(あつ)める	gather	2	
続(つづ)ける	continue	2	
持(も)ってくる	bring	3	
優(やさ)しくする	be kinder	3	
留学(りゅうがく)する	study abroad	3	

Starting from the Nai-form, make the Conditional Form.

Nai-form	Meaning	Group	Conditional Form
降(ふ)らない	not raining	1	
食(た)べない	don't eat	2	
練習(れんしゅう)しない	don't practice	3	

Sentence Pattern 1 条件形(じょうけんけい)を使(つか)った表現(ひょうげん) Expressions Using Conditional Form

タクシーに**乗(の)れば**、間(ま)に合(あ)います。

You can make it if you take a taxi.

NOTE **[V-conditional]、～** (= if ...)

Used when a circumstance will occur (間(ま)に合(あ)います make it in time) when a certain condition (タクシーに乗(の)ります take a taxi) is fulfilled. With Nai-form becomes [**V-なければ**]. Ex. タクシーに**乗(の)らなければ**、間(ま)に合(あ)いません。(You can't make it on time if you don't take a taxi.)

Ex.

A：パーティーに間(ま)に合(あ)いますか。

B：タクシーに**乗(の)れば**、間(ま)に合(あ)います。

A: Will we make it to the party on time?

B: Yes, if we take a taxi.

__________**ば**、__________。

Let's try to speak using [V-conditional].

Ex. タクシーに乗(の)れ**ば**、間(ま)に合(あ)います。

タクシーに乗(の)る take a taxi Ex. --------------- 間(ま)に合(あ)います make it in time	薬(くすり)を飲(の)む take medicine ① --------------- よくなります get better	ネットで調(しら)べる look something up on the Internet ② --------------- わかります understand
デパートに行(い)く go to the department store ③ --------------- あります find something	練習(れんしゅう)しない don't practice ④ --------------- 上手(じょうず)になりません don't get better	雨(あめ)が降(ふ)らない not raining ⑤ --------------- 行(い)きます go

Let's practice using phrases ①-⑤ in a conversation.

Ex. A：9時までに行けば、大丈夫でしょうか。

B：はい、大丈夫ですよ。

A：そうですか。わかりました。

> A: Would it be all right if we got there by 9 o'clock?
> B: Yes, that will be all right.
> A: Okay, thank you.

Ex. 9時までに行く get there by 9 o'clock	①レシートを持っていく bring a receipt	②当日払う pay on that day
③許可をもらう get permission	④3,000円ある have 3,000 yen	⑤今日申し込む apply today

Talk about the future with your partner, listing various conditions.

Ex. A：日本に長く住みますか。

B：うーん。いい仕事が見つかれば、長くいたいです。

A：そうですか。

B：でも、見つからなければ、帰ります。

About the future

- 日本に長く住む
  will you live in Japan for long
- 日本人と結婚する
  will you marry a Japanese
- 今の仕事を続ける
  will you continue your job

Sentence Pattern 2 条件形を使った表現(じょうけんけい つか ひょうげん) Expressions Using Conditional Form

Track 245

もっと勉強(べんきょう)すればよかったです。

I should have studied harder.

NOTE **[V-conditional] + よかったです** (= should have/shouldn't have)
Used to show one regrets an act, such as あんなに**飲(の)まなければよかったです** (I shouldn't have drunk so much.) or when regretting not taking the act, such as もっと**勉強(べんきょう)すればよかったです** (I should have studied harder.)

Ex. A :試験(しけん)に落(お)ちてしまいました。
もっと**勉強(べんきょう)すればよかったです。**
B :私(わたし)もです。あんなに
遊(あそ)ばなければよかったです。

> A: I failed the exam. I should have studied harder.
> B: Me, too. I shouldn't have played around do much.

Practice A ＿＿＿＿ばよかったです。／＿＿＿＿なければよかったです。
Let's try to speak using [V-conditional] + よかったです.

Track 246

Ex. もっと勉強(べんきょう)すれ**ばよかったです。**

Ex. もっと勉強(べんきょう)する study more	①もっとお金(かね)を持(も)ってくる bring more money	②30分早(ぷんはや)く起(お)きる wake up 30 minutes earlier

Ex. あんなに飲(の)ま**なければよかったです。**

Ex. あんなに飲(の)まない don't drink that much	① あんなひどいことを言(い)わない don't say such horrible things	②こんなに買(か)わない don't buy so much

Let's practice using phrases ①-⑤ in a conversation.

Ex. A：試験に落ちてしまいました。
B：そうなんですか。
A：もっと勉強すればよかったです。
B：うーん…。

A: I failed my exam.
B: Oh, is that so?
A: I should have studied harder.
B: Yeah...

試験に落ちてしまいました failed the exam Ex. もっと勉強する study more	ふられてしまいました was dumped ① もっと優しくする be kinder	ぎっくり腰になってしまいました strained my back ② 重いものを持たない don't carry heavy things
コンサートのチケットが売り切れてしまいました the concert tickets are sold out ③ 早く買う buy early	仕事をクビになってしまいました was fired ④ もっとまじめに働く work harder	去年の服が着られなくなってしまいました cannot wear last year's clothes ⑤ あまり食べない don't eat much

Talk about something you regret doing during your childhood with your partner. Explain your reasons, too.

Ex. 私は学生のとき、もっとたくさん旅行すればよかったと思います。
今、時間がありませんから。あと、留学すればよかったです。

あと in addition／留学する study abroad

Sentence Pattern 3 条件形を使った表現 Expressions Using Conditional Form

Track 248

どうやって注文すればいいですか。

How should I order?

NOTE

[Interrogative] + [V-conditional] + いいですか (= how shoud one...)
Used when seeking advice, such as in "**いつ** (when), **どこで** (where), **誰に** (who), **何を** (what) or **どうやって** (how)."

Ex. A：**どうやって注文すればいいですか。**
B：あそこで食券を買ってください

A: How should I order?
B: Please buy a meal ticket over there.

Practice A

______ **ばいいですか。**
Let's try to speak using [Interrogative] + [V-conditional] + いいですか.

Track 249

Ex. どうやって注文すれ**ばいいですか。**

Ex. どうやって注文する how do I order	①いつ申し込む when do I apply	②誰に聞く who do I ask
③何時に来る when should I come	④いくら払う how much do I pay	⑤何を持ってくる what should I bring

Let's practice using phrases ①-⑤ in a conversation.

Track 250

Ex. A：すみません。年(ねん)に何回(なんかい)取(と)りかえればいいですか。

B：3回(かい)ぐらい取(と)りかえてください。

A：はい、わかりました。

A: Excuse me. How many times a year must I change this?
B: Please change it about three times a year.
A: Okay, I understand.

年(ねん)に何回(なんかい)取(と)りかえる how many times a year should I change it Ex. 3回(かい)ぐらい取(と)りかえます change about three times	どんなふうに書(か)く how should I write ① サンプルを見(み)ます look at the sample	何人(なんにん)集(あつ)める how many people will gather ② 20人(にん)ぐらい集(あつ)めます about 20 people gather
どのぐらい待(ま)つ how long should I wait ③ 30分(ぷん)ぐらい待(ま)ちます wait about 30 minutes	いつまでに出(だ)す by when should I submit ④ 明日(あした)の午前中(ごぜんちゅう)までに出(だ)します submit before noon tomorrow	何枚(なんまい)コピーする how many copies should I make ⑤ 部長(ぶちょう)に聞(き)きます ask the manager

You received the following instructions from your boss. Confirm details you don't understand with your boss.

Boss' instructions

- プレゼンの資料(しりょう)を作(つく)ってください
  Prepare documents for a presentation
  - いつまで？ by when
  - 何部(なんぶ)コピー？ how many copies
- 店(みせ)を予約(よやく)してください
  Make reservations for a restaurant
  - 何時(なんじ)から？ from what time
  - どのコース？ which course

Ex. Boss：プレゼンの資料(しりょう)を作(つく)ってください。

You：はい、わかりました。いつまでに作(つく)ればいいですか。

Listening

Listen to the conversation between the man and woman and choose the correct answers.

Q1 What is the man's suggestion?

1. To take the bus.
2. To go to the police box.
3. To take the train.

Q2 What is the woman regretting?

1. She did not eat a lot of ice cream.
2. She ate a lot of ice cream.
3. She did not eat any ice cream.

Q3 Will the woman go to the party?

1. Yes, if there is no meeting.
2. Yes, if the man goes.
3. Yes, if she can finish work.

Q4 What time will the man arrive?

1. At 9:10.
2. At 9:20.
3. At 9:30.

Shadowing

1. Recite the conversation together with the audio in a soft voice while looking at the text.
2. Recite the conversation together with the audio in a loud voice without looking at the text.

〈Conversation with a friend at school〉

M_1：明日(あした)テストがあるみたいですよ。

M_2：え、知(し)りませんでした。何(なん)のテストですか。

M_1：漢字(かんじ)のテストみたいですよ。

M_2：ああ、漢字(かんじ)ですか。じゃあ、大丈夫(だいじょうぶ)です。

M_1：え、どうしてですか。

M_2：大学生(だいがくせい)のとき、中国語(ちゅうごくご)を勉強(べんきょう)していましたから。

M_1：そうだったんですか。じゃあ、どうすれば漢字(かんじ)が覚(おぼ)えられますか。
私(わたし)は漢字(かんじ)が苦手(にがて)です。

M_2：漢字(かんじ)の意味(いみ)と単語(たんご)をいっしょに覚(おぼ)えればいいと思(おも)います。
あと、このアプリも便利(べんり)ですよ。

M_1：なるほど。パウロさんにもっと早(はや)く聞(き)けばよかったです。

意味(いみ) meaning／単語(たんご) words／なるほど I see.

授受表現
じゅじゅひょうげん

Giving and Receiving

1 **私は**友だち**に** DVD **をあげました。**
わたし　とも

I gave my friend the DVD.

友だち**が私に**お菓子**をくれました。**
とも　　わたし　かし

My friend gave me snacks.

---

2 友だち**に**映画のチケット**をもらいました。**
とも　　えいが

I got tickets to the movies from my friend.

---

3 **私は**友だち**に**英語**を教えてあげました。**
わたし　とも　　えいご　おし

I taught my friend English.

友だち**が私に**日本語**を教えてくれました。**
とも　　わたし　にほんご　おし

My friend taught me Japanese.

---

4 友だち**に** 宿題**を手伝ってもらいました。**
とも　　しゅくだい　てつだ

I had my friend help me with my homework.

Sentence Pattern 1　授受表現(じゅじゅひょうげん) Giving and Receiving

Track 256

私(わたし)は友(とも)だちにDVDをあげました。　I gave my friend the DVD.

友(とも)だちが私(わたし)にお菓子(かし)をくれました。　My friend gave me snacks.

NOTE (私(わたし)は)[person]に[thing]をあげます (= give)

[person]が(私(わたし)に)[thing]をくれます (=give me)

Both あげる and くれる mean "give." If the speaker or someone close to the speaker is the receiver of the item, くれる is used. If someone other than the speaker is the receiver of the item, あげる is used.

Ex. 1)(私(わたし)は)友(とも)だちにDVDをあげました。

2)友(とも)だちが(私(わたし)に)お菓子(かし)をくれました。

1) I gave my friend the DVD.
2) My friend gave me snacks.

私(わたし)は＿＿＿＿＿に＿＿＿＿＿をあげました。

Let's try to speak using 私(わたし)は[person]に[thing]をあげました.

Ex. 私(わたし)は友(とも)だちにDVDをあげました。

私(わたし) → 友(とも)だち I → my friend	私(わたし) → 弟(おとうと) I → younger brother	私(わたし) → 友(とも)だち I → friend
Ex. ----------	① ----------	② ----------
DVD DVD	Tシャツ T-shirt	日本語(にほんご)の教科書(きょうかしょ) Japanese textbook

Practice A-2

＿＿＿＿＿が私(わたし)に＿＿＿＿＿をくれました。

Track 258

Let's try to speak using [person]が 私(わたし)に [thing]をくれました.

Ex. 友(とも)だちが私(わたし)にお菓子(かし)をくれました。

Ex. 友だち（とも） → 私（わたし） friend → me	祖父（そふ） → 私（わたし） my grandfather → me	同僚（どうりょう） → 私（わたし） co-worker → me
Ex. ------------	① ------------	② ------------
お菓子（かし） snacks	腕時計（うでどけい） watch	お土産（みやげ） souvenir

Let's practice using phrases ①-③ in a conversation.
Come up with your own answer for the part on the dotted line.

Ex. A:その指輪（ゆびわ）、いいですね。どうしたんですか。
B:母（はは）が誕生日（たんじょうび）にくれたんです。

> A: That ring is beautiful. How did you get it?
> B: My mother gave it to me for my birthday.

Ex. 指輪（ゆびわ） ring	①ネックレス necklace	②ネクタイ necktie	③ブレスレット bracelet

What kinds of "giving" customs do you have in your country? Talk about your country' s annual events with your partner.

Ex. 日本（にほん）では、お正月（しょうがつ）に大人（おとな）が子（こ）どもにお金（かね）をあげる習慣（しゅうかん）があります。これは「お年玉（としだま）」と言（い）います。子（こ）どもが小（ちい）さいときは500円（えん）から1,000円（えん）ぐらい。大（おお）きくなると、5,000円（えん）から10,000円（えん）ぐらいあげる人（ひと）が多（おお）いみたいです。

お正月（しょうがつ） New Year／習慣（しゅうかん）がある have a custom／お年玉（としだま） New Year's gift／～と言（い）う we say ...

Sentence Pattern 2 授受表現(じゅじゅひょうげん) Giving and Receiving

友(とも)だちに映画(えいが)のチケットをもらいました。

I got tickets to the movies from my friend.

NOTE **(私(わたし)は) [person] に/から [thing] をもらいます** (= I get [thing] from [person] ...)

もらう means to receive. When the receiver of the item is the speaker (I) or someone close to the speaker, and is also the subject of the sentence, もらう is used. The subject of もらう is usually "I", so the subject is often omitted.

Ex. A：その映画(えいが)のチケット、どうしたんですか。

B：友(とも)だち**にもらいました。**

> A: How did you get that movie ticket?
> B: I got it from my friend.

Practice A ＿＿＿＿＿に＿＿＿＿＿をもらいました。 Track 261

Let' s try to speak using [person] に [thing] をもらいました.

Ex. 友(とも)だち**に**映画(えいが)のチケット**をもらいました。**

友(とも)だち friend Ex. 映画(えいが)のチケット movie ticket	となりの人(ひと) neighbor ① りんご apple	父(ちち) father ② 腕時計(うでどけい) watch
先生(せんせい) teacher ③ チョコレート chocolate	彼(かれ)／彼女(かのじょ) boyfriend / girlfriend ④ 香水(こうすい) perfume	お店(みせ)の人(ひと) store staff ⑤ サービス券(けん) voucher

Practice B: Let's practice using phrases ①-⑤ in a conversation.

Ex. A：その地図(ちず)、どうしたんですか。
B：昨日(きのう)、駅(えき)でもらったんです。

A: How did you get that map?
B: I got it at the station yesterday.

地図(ちず) map Ex. 駅(えき) station	パンフレット pamphlet ① ホテルのフロント front desk of a hotel	うちわ paper fan ② 道(みち) road
ティッシュ tissue ③ 駅前(えきまえ) front of the station	サンプル sample ④ 薬局(やっきょく) pharmacy	クリアファイル plastic file ⑤ 学校(がっこう) school

Practice C: Talk with your partner about something that you received and were happy/ surprised/ unhappy/troubled about.

Ex. 高校生(こうこうせい)のとき、私(わたし)は友(とも)だちからポエムをもらいました。友(とも)だちが自分(じぶん)で書(か)いたポエムです。もらったときは、とてもびっくりしました。友(とも)だちは今(いま)まで誰(だれ)にもポエムをあげたことがないと言(い)っていました。私(わたし)も初(はじ)めてもらいました。

ポエム poem／もらったとき when I got it／びっくりする be surprised／誰(だれ)にも〜ない ~ to no one／初(はじ)めて first time

Sentence Pattern 3 授受表現(じゅじゅひょうげん) Giving and Receiving

私(わたし)は友(とも)だち**に**英語(えいご)**を教(おし)えてあげました。**

I taught my friend English.

友(とも)だち**が私(わたし)に**日本語(にほんご)**を教(おし)えてくれました。**

My friend taught me Japanese.

NOTE

(私(わたし)は) [person] に [V-て] + あげます (= give)

[person] が (私(わたし)に) [V-て] + くれます (= give me)

あげる and くれる, which mean to give, are used not only for items, but also for action when used in the form [V-て] + あげる, [V-て] + くれる. [V-て] + あげる is used when the speaker is acting in kindness for another person. When the speaker is expressing gratitude for a kind act, [V-て] + くれる is used.

Ex.

1) **(私(わたし)は)**友(とも)だち**に**英語(えいご)**を教(おし)えてあげました。**

2) 友(とも)だち**が(私(わたし)に)**日本語(にほんご)**を教(おし)えてくれました。**

1) I taught my friend English.
2) My friend taught me Japanese.

私(わたし)は __________ に __________ てあげました。

Let's try to speak using 私(わたし)は [person] に [V-て] + あげました.

Ex. **私(わたし)は**友(とも)だち**に**英語(えいご)を教(おし)え**てあげました。**

私(わたし) → 友(とも)だち I → friend	私(わたし) → 友(とも)だち I → friend	私(わたし) → おばあさん I → old woman
Ex.	①	②
英語(えいご)を教(おし)える teach English	かさを貸(か)す lend an umbrella	席(せき)をゆずる give up one's seat

__________ が私(わたし)に __________ てくれました。

Let's try to speak using [person] が 私(わたし)に [V-て] + くれました.

Ex. 母(はは)**が私(わたし)に**国(くに)のお菓子(かし)を送(おく)っ**てくれました。**

母(はは) → 私(わたし) my mother → me	ジョンさん → 私(わたし) John-san → me	彼(かれ)／彼女(かのじょ) → 私(わたし) boyfriend / girlfriend → me
Ex. ------------------	① ------------------	② ------------------
国(くに)のお菓子(かし)を送(おく)る send sweets from one's home country	写真(しゃしん)を見(み)せる show photos	ご飯(はん)を作(つく)る cook a meal

Practice B Let's practice using phrases ①-⑤ in a conversation.

Track 266

Ex. A：この間(あいだ)、スミスさんが東京(とうきょう)を案内(あんない)してくれたんですよ。

B：そうですか。よかったですね。

A: Smith-san showed me around Tokyo the other day.
B: I see. That's good.

Ex. 東京(とうきょう)を案内(あんない)する show around Tokyo	①漢字(かんじ)を教(おし)える teach kanji	②友(とも)だちを紹介(しょうかい)する introduce a friend
③駅(えき)まで送(おく)る take to the station	④浅草(あさくさ)に連(つ)れていく take to Asakusa	⑤パーティーに誘(さそ)う invite to a party

Practice C What will you do when you run into trouble or have a special errand to run?

Ex. 友(とも)だちが病気(びょうき)になったら、
薬(くすり)を買(か)ってきてあげます。
それから、病院(びょういん)を探(さが)してあげます。

探(さが)す search

Situation

- 友(とも)だちが病気(びょうき)になった
friend became sick
- 家族(かぞく)が日本(にほん)に来(き)た
family is visiting Japan
- 迷子(まいご)の子どもを見(み)つけた
found a lost child
- 転(ころ)んでいる人(ひと)を見(み)つけた
found someone who fell
- 友(とも)だちが財布(さいふ)をなくした
friend lost his/her wallet

Sentence Pattern 4 授受表現(じゅじゅひょうげん) Giving and Receiving

Track 267

友(とも)だちに宿題(しゅくだい)を手伝(てつだ)ってもらいました。

I had my friend help me with my homework.

NOTE **(私(わたし)は) [person] に [V-て] + もらいます** (= I have someone do ...)

[V-て] + もらう, which means "receive," is used not only for items, but also for actions when used in the form [V-て] + もらう. The phrase [V-て] + もらう is used to express the speaker's gratitude for a kind act received, with the speaker being the subject.

Ex. A：昨日(きのう)、友(とも)だちに宿題(しゅくだい)を**手伝(てつだ)ってもらいました。**

B：よかったですね。

A: Yesterday I had my friend help me with my homework.
B: That is good.

Track 268

Practice A ＿＿＿＿＿ に ＿＿＿＿＿ てもらいました。

Let's try to speak using [person] に [V-て] + もらいました.

Ex. 友(とも)だちに宿題(しゅくだい)を手伝(てつだ)ってもらいました。

友(とも)だち friend Ex. 宿題(しゅくだい)を手伝(てつだ)う help with homework	会社(かいしゃ)の先輩(せんぱい) senior co-worker ① データをチェックする check data	郵便屋(ゆうびんや)さん mail carrier ② 再配達(さいはいたつ)する redeliver
知(し)らない人(ひと) a stranger ③ 道(みち)を教(おし)える show the way	父(ちち) my father ④ 車(くるま)で迎(むか)えに来(く)る come to pick someone up by car	お店(みせ)の人(ひと) store staff ⑤ シャツを取(と)りかえる change one's shirt

Let's practice using phrases ①-⑤ in a conversation.

Ex. A：誰に野菜を送ってもらったんですか。
B: 母に送ってもらいました。

A: Who sent you the vegetables?
B: My mother sent them.

野菜を送る send vegetables Ex. 母 my mother	その絵を描く draw that picture ① 知り合い acquaintance	宿題をみる help with homework ② 日本人の友だち Japanese friend
書類を翻訳する translate a document ③ 同僚 co-worker	セーターを編む knit a sweater ④ 祖母 my grandmother	写真を撮る take a photo ⑤ 近くにいた人 person nearby

Talk about experiences in which people have been kind to you.

Ex. 初めての海外旅行のとき、友だちにスーツケースを貸してもらいました。一人で行ったので、近くの人に写真を撮ってもらいました。親切な人が町を案内してくれました。

To-do list

- 初めての海外旅行のとき
  one's first trip abroad
- 初めて日本に来たとき
  one's first time in Japan
- 初めてホームステイしたとき
  one's first homestay
- 道に迷ったとき
  when one was lost
- 病気になったとき
  when one was sick

Listening

Listen to the conversation between the man and woman and choose the correct answers.

Q1 What did the woman receive from John?

1. She received a hat.
2. She received a movie ticket.
3. She didn't receive anything.

Q2 What did the man do for his Japanese friend?

1. He taught him English.
2. He taught him Japanese.
3. He taught him kanji.

Q3 Which of the following is true?

1. The man often gets help with his studies.
2. The woman often gets help with directions
3. The man often gets help with directions.

Q4 Why does the woman have tissues?

1. Everyone gave them to her.
2. She bought them at the station.
3. She got them at the station.

Shadowing

1. Recite the conversation together with the audio in a soft voice while looking at the text.
2. Recite the conversation together with the audio in a loud voice without looking at the text.

〈Conversation with a friend at the university〉

M：やす子(こ)さんはホームステイをしたことがありますか。

F：はい。高校生(こうこうせい)のとき、アメリカでしました。

M：どうでしたか。

F：小(ちい)さい子(こ)どもが３人(にん)いたので、お母(かあ)さんはとても忙(いそが)しそうでした。

M：そうですか。

F：だから、あまり晩(ばん)ご飯(はん)を作(つく)ってもらえませんでした。

M：え、そうなんですか。

F：でも、子(こ)どもたちはとてもかわいかったです。子(こ)どもたちが遊(あそ)んでくれたので、英語(えいご)が上手(じょうず)になりました。ビルさんの日本(にほん)のホストファミリーはどうですか。

M：おばあさん一人(ひとり)だけですが、とても優(やさ)しいです。私(わたし)はときどきうちの仕事(しごと)を手(て)伝(つだ)ってあげます。掃除(そうじ)をしたり、いっしょに買(か)い物(もの)に行(い)ったりします。

F：晩(ばん)ご飯(はん)は作(つく)ってもらえますか。

M：はい。おばあさんはいつもたくさん作(つく)ってくれます。

ホームステイ homestay／**ホストファミリー** host family／**ときどき** sometimes

意向形を使った表現
Expressions Using Volitional Form

1 今週は**行こうと思っています**。

I'm thinking of going this week.

---

2 レストランを**予約しようと思ったら**、いっぱいでした。

When I tried to make a reservation at the restaurant, it was fully booked.

意向形(いこうけい) Volitional Form [V-volitional]

Group 1 (U-verbs)

辞書形(じしょけい) Dictionary Form			意向形(いこうけい) Volitional Form	
か**う**	ka**u**	➡	か**お**う	ka**ō**
か**く**	ka**ku**	➡	か**こ**う	ka**kō**
およ**ぐ**	oyo**gu**	➡	およ**ご**う	oyo**gō**
はな**す**	hana**su**	➡	はな**そ**う	hana**sō**
も**つ**	mo**tsu**	➡	も**と**う	mo**tō**
よ**む**	yo**mu**	➡	よ**も**う	yo**mō**
かえ**る**	kae**ru**	➡	かえ**ろ**う	kae**rō**

＊**ある** (aru) don't have the Volitional Form.

Group 2 (Ru-verbs)

辞書形(じしょけい) Dictionary Form			意向形(いこうけい) Volitional Form	
たべ**る**	tabe**ru**	➡	たべ**よう**	tabe**yō**
ね**る**	ne**ru**	➡	ね**よう**	ne**yō**
み**る**	mi**ru**	➡	み**よう**	mi**yō**

Group 3 (Irregular Verbs)

辞書形(じしょけい) Dictionary Form			意向形(いこうけい) Volitional Form	
する	**suru**	➡	**しよう**	**shiyō**
くる	**kuru**	➡	**こよう**	**koyō**

Let's Practice!

Track 275

Starting from the Dictionary Form, make the Volitional Form.

Dictionary Form	Meaning	Group	Volitional Form
行(い)く	go	1	
引(ひ)っ越(こ)す	move (house)	1	
休(やす)みを取(と)る	take a vacation	1	
迎(むか)えに行(い)く	go pick (someone) up	1	
歩(ある)く	walk	1	
働(はたら)く	work	1	
洗(あら)う	wash	1	
ふく	wipe	1	
買(か)う	buy	1	
申(もう)し込(こ)む	apply	1	
使(つか)う	use	1	
聞(き)く	ask	1	
試験(しけん)を受(う)ける	take a test	2	
掃除機(そうじき)をかける	vacuum	2	
見(み)る	see	2	
セミナーに出(で)る	attend a seminar	2	
連(つ)れてくる	bring someone	3	
残業(ざんぎょう)する	work overtime	3	
変更(へんこう)する	change	3	
メールする	email	3	

Sentence Pattern 1 意向形を使った表現 Expressions Using Volitional Form

今週は行こうと思っています。

I'm thinking of going this week.

NOTE [V-volitional] + と思っています (= I am thinking of ...)

Used to express the speaker's intention or plans. 私は (I) is usually omitted.

[V-volitional] + と思っていました is used when the speaker thought of doing something but didn't/couldn't.

Ex. A：来週のセミナーに行きますか。
B：はい。先週行けなかったので、
今週は行こうと思っています。

A: Will you be going to the seminar next week?
B: Yes, I'm thinking of going this week because I couldn't go last week.

＿＿＿＿＿（よ）うと思っています。

Let's try to speak using [V-volitional] + と思っています.

Ex. 今週は行こうと思っています。

Ex. 今週は行く go this week	①今日は残業する work overtime today	②JLPTの試験を受ける take the JLPT
③来年引っ越す move next year	④9月に長い休みを取る take a long vacation in September	⑤うちに友だちを連れてくる bring a friend to one's house

Let's practice using phrases ①-⑤ in a conversation.

Ex. A :Bさんも会員(かいいん)になりますか。
B :はい、なろうと思(おも)っています。

A: B-san, do you also plan to become a member?
B: Yes, I'm thinking of becoming one.

Ex. 会員(かいいん)になる become a member	①空港(くうこう)まで迎(むか)えに行(い)く go pick someone up at the airport	②セミナーに出(で)る attend a seminar
③次(つぎ)の駅(えき)まで歩(ある)く walk to the next station	④時間(じかん)を変更(へんこう)する change the time	⑤日本(にほん)で働(はたら)く work in Japan

You are not good at cleaning up your room. Your roommate gave you a list of chores, but you haven't done anything on it yet. When your roommate asks whether or not you cleaned your room, answer the questions.

Ex. A :Bさん、掃除機(そうじき)をかけましたか。
B :あー、かけようと思(おも)っていたんですが、まだかけていません。
A :じゃあ、いらないものを・・・

List of chores

- 掃除機(そうじき)をかける
  vacuum the room
- いらないものを捨(す)てる
  throw away unnecessary things
- 棚(たな)をふく
  wipe the shelves
- カーテンを洗(あら)う
  wash the curtains

Sentence Pattern 2 意向形を使った表現 Expressions Using Volitional Form

レストランを**予約しようと思ったら**、いっぱいでした。

When I tried to make a reservation at the restaurant, it was fully booked.

NOTE [V-volitional] + と思ったら、～ (= when I tried to do ...)

Used when a surprising or an unexpected result occurs after a given act.

Ex. A：レストランは予約しましたか。

B：**予約しようと思ったら**、いっぱいでした。

A: Did you make a reservation at the restaurant?

B: When I tried to make a reservation, it was fully booked.

Practice A ＿＿＿＿(よ)うと思ったら、＿＿＿＿

Let's try to speak using [V-volitional] + と思ったら.

Track 280

Ex. レストランを予約し**ようと思ったら**、いっぱいでした。

レストランを予約する make a reservation at a restaurant Ex. いっぱいでした was fully booked	チケットを買う buy tickets ① もう売り切れでした was already sold out	セミナーに申し込む apply for a seminar ② 昨日が締め切りでした deadline was yesterday
岡村さんに聞く ask Okamura-san ③ 今日は休みでした took a day off today	明日休みを取る take a day off tomorrow ④ 打ち合わせが入りました a meeting has been scheduled	富士山に登る climb Mount Fuji ⑤ 台風が来ました a typhoon came

Let's practice using phrases ①-⑤ in a conversation.

Ex. A：あのレストランに行(い)きましたか。
B：行(い)こうと思(おも)ったら、いっぱいでした。

A: Did you go to that restaurant?
B: When I tried to go, it was full.

あのレストランに行(い)きましたか go to that restaurant Ex. ---------- いっぱいでした it was full	友(とも)だちにメールしましたか email your friend ① ---------- 友(とも)だちからメールが来(き)ました an email came from my friend	テキストを買(か)いましたか buy a textbook ② ---------- 友(とも)だちがくれました a friend gave it (to me)
DVDを見(み)ましたか watch the DVD ③ ---------- プレーヤーが壊(こわ)れていました the player was broken	このノートパソコンを使(つか)いましたか use this laptop ④ ---------- バッテリーが切(き)れていました the battery was not charged	机(つくえ)の上(うえ)のパンを食(た)べましたか eat bread on the desk ⑤ ---------- カビが生(は)えていました got moldy

Talk with your partner about something you recently wanted to do but couldn't.

Ex. A：昨日(きのう)、お金(かね)を払(はら)おうと思(おも)ったら、財布(さいふ)がありませんでした。
B：それでどうしたんですか。
A：友(とも)だちから借(か)りました。
B：そうですか。よかったですね。

それで and then

Listening

Listen to the conversation between the man and woman and choose the correct answers.

Q1 Which of the following is true?

1. The man went to the beach last week.
2. The man won't go to the beach next week.
3. The man wants to go to the beach this week.

Q2 Who is planning to take the exam?

1. The woman will take the exam.
2. The man will take the exam.
3. Both the man and woman will take the exam.

Q3 Which of the following is true?

1. Only the train was crowded.
2. Only the taxi stand was crowded.
3. Both the train and the taxi stand were crowded.

Q4 What will the woman do?

1. She plans to climb Mount Fuji in the morning.
2. She plans to exercise on Mount Fuji.
3. She plans to climb Mount Fuji at night.

＊日(ひ)の出(で) sunrise

Shadowing

1. Recite the conversation together with the audio in a soft voice while looking at the text.
2. Recite the conversation together with the audio in a loud voice without looking at the text.

〈Conversation with a friend at school〉

F：昨日(きのう)のサッカーの試合(しあい)、見(み)ましたか。
M：いいえ、テレビで見(み)ようと思(おも)ったら、もう終(お)わっていました。
F：私(わたし)はスタジアムで見(み)ました。
M：えっ、スタジアムで見(み)たんですか。
F：ええ。
M：いいですね。私(わたし)もスタジアムで見(み)てみたいです。
F：テレビのほうが選手(せんしゅ)がよく見(み)えますけどね。
M：でも、スタジアムのほうが楽(たの)しいと思(おも)います。
F：そうですね。昨日(きのう)の試合(しあい)は席(せき)が遠(とお)かったので、次(つぎ)はもっといい席(せき)を取(と)ろうと思(おも)っています。

試合(しあい) match／**スタジアム** stadium／**～けど** but ...／**選手**(せんしゅ) player

Have a Try!（UNIT 11 – UNIT 14）

Use the sentence patterns indicated by the ✓ for role-playing, speech and conversation practice.

① Role-playing

A: You failed your Japanese exam again. Tell B-san about how much you regret it and ask him for advice on how to prepare for the next exam.

- ✓ [V-conditional]＋よかったです
- ✓ [Interrogative]＋[V-conditional]＋いいですか
- ✓ [V-て]＋みます

B: You passed the Japanese exam you took a few days ago. Offer advice on how to study for the next exam to A-san.

- ✓ [V-た]＋ほうがいいです
- ✓ [V-ない]＋ほうがいいです
- ✓ [V-conditional]、～
- ✓ [Plain]＋と思(おも)います

Ex.

Ａ：この前(まえ)のテスト、不合格(ふごうかく)でした。文法(ぶんぽう)があまりできませんでした。もっと勉強(べんきょう)すればよかったです。

Ｂ：残念(ざんねん)でしたね。

Ａ：どうやって勉強(べんきょう)すればいいですか。

Ｂ：文法(ぶんぽう)は先生(せんせい)と勉強(べんきょう)したほうがいいですよ。いい例文(れいぶん)をたくさん覚(おぼ)えれば、合格(ごうかく)できると思(おも)います。

Ａ：じゃあ、やってみます。

この前(まえ) last time／**不合格(ふごうかく)** fail／**文法(ぶんぽう)** grammar／**例文(れいぶん)** example passage／**合格(ごうかく)する** pass

② **Speech**

Talk freely about something your parents did for you, or something you want to do for your parents.

✓[V-て]＋もらいます　✓[V-て]＋あげます

✓[V-た]＋ら、～　✓[V-volitional]＋と思っています

Ex. 私は学生のとき、親に大学の学費を出してもらいました。車も買ってもらいました。就職したら、今度は私が親に何かプレゼントしようと思っています。・・・

学費を出す pay for tuition／**就職する** find work／**今度は** next time／**何か** something

③ **Conversation**

What do you want to be able to do? What must be done to be able to do that? Seek advice from your partner.

✓[V-potential]＋ようになります　✓[Interrogative]＋[V-conditional]＋いいですか

✓[V-conditional]、～　✓[V-た]＋ほうがいいです

✓[V-ない]＋ほうがいいです　✓[Plain]＋と思います　✓[V-て]＋みます

Ex.

A：フルマラソンが走れるようになりたいです。そのために、何をすればいいですか。

B：まず、走りやすいくつを買ったほうがいいと思います。それから、毎日少しずつ走れば、だんだん走れるようになりますよ。

A：そうですね。やってみます。

フルマラソン full marathon／**そのために** for that purpose／**まず** firstly／**それから** and then

少しずつ little by little／**だんだん** gradually／**やる** do

Casual Conversation Between Friends

Polite Style  **Plain Style**

	Polite Style	Plain Style
U8 T287	A：タクシーと電車(でんしゃ)と **どちら**のほうが**早(はや)いですか**。 B：タクシーより電車(でんしゃ)のほうが**早(はや)いです**よ。	A：タクシーと電車(でんしゃ)と **どっち**のほうが**早(はや)い？** B：タクシーより電車(でんしゃ)のほうが**早(はや)い**よ。
T288	A：日本(にほん)の中(なか)で、 どこが一番(いちばん)家賃(やちん)が**高(たか)いですか**。 B：東京(とうきょう)が一番(いちばん)(家賃(やちん)が)**高(たか)いです**。	A：日本(にほん)の中(なか)で、 どこが一番(いちばん)家賃(やちん)が**高(たか)い？** B：東京(とうきょう)が一番(いちばん)(家賃(やちん)が)**高(たか)い**。
T289	A：東京(とうきょう)は**どんなところですか**。 B：(東京(とうきょう)は)人(ひと)が多(おお)くて**にぎやかですよ**。	A：東京(とうきょう)は**どんなところ？** B：(東京(とうきょう)は)人(ひと)が多(おお)くて**にぎやかだ**よ。
T290	A：このラーメン、**おいしそうです**ね。 B：**そうです**ね。でも、チャーハンは**おいしくなさそうです**ね。	A：このラーメン、**おいしそうだ**ね。 B：**そうだ**ね。でも、チャーハンは**おいしくなさそうだ**ね。
T291	A：日本(にほん)のお菓子(かし)は**甘(あま)すぎます**ね。 B：**そうですか**。／**そうです**ね。	A：日本(にほん)のお菓子(かし)は**甘(あま)すぎる**ね。 B：**そう**？／**そうだ**ね。
U9 T292	A：ギター**が弾(ひ)けますか**。 B：**はい**、**弾(ひ)けます**。／**いいえ**、**弾(ひ)けません**。	A：ギター**(が)弾(ひ)ける？** B：**うん**、**弾(ひ)ける**。／**ううん**、**弾(ひ)けない**。
T293	A：漢字(かんじ)**が読(よ)めますか**。 B：**はい**。少(すこ)し**読(よ)めるようになりました**。	A：漢字(かんじ)**(が)読(よ)める？** B：**うん**。少(すこ)し**読(よ)めるようになった**。
T294	1）ここから富士山(ふじさん)が**見(み)えます**。 2）電車(でんしゃ)の音(おと)が**聞(き)こえます**。	1）ここから富士山(ふじさん)が**見(み)える**。 2）電車(でんしゃ)の音(おと)が**聞(き)こえる**。
U10 T295	A：部長(ぶちょう)**はいますか**。 B：まだ会議室(かいぎしつ)に**いるはずです**よ。	A：部長(ぶちょう)**(は)いる？** B：まだ会議室(かいぎしつ)に**いるはずだ**よ。
T296	A：明日(あした)、レッスン**に来(き)ますか**。 B：**すみません**。仕事(しごと)**が忙(いそが)しいので**、**休(やす)みます**。	A：明日(あした)、レッスン**(に)来(く)る？** B：**ごめん**。仕事(しごと)**(が)忙(いそが)しいから**、**休(やす)む**。
T297	A：これ**は**沖縄(おきなわ)で撮(と)った**写真(しゃしん)です**。 B：へえ、**いいです**ね。	A：これ**(は)**沖縄(おきなわ)で撮(と)った**写真(しゃしん)**。 B：へえ、**いい**ね。
T298	A：今年(ことし)**は**JLPT**を受(う)けますか**。 B：**受(う)けるかどうかわかりません**。	A：今年(ことし)**(は)**JLPT**(を)受(う)ける？** B：**受(う)けるかどうかわからない**。
U11 T299	A：彼女(かのじょ)**は**何時(なんじ)に**来(き)ますか**。 B：何時(なんじ)に**来(く)るかわかりません**。	A：彼女(かのじょ)**(は)**何時(なんじ)に**来(く)る？** B：何時(なんじ)に**来(く)るかわからない**。

T300	A：この料理、簡単に**作れますよ。** B：**そうですか。**じゃあ、自分で**作ってみます。**	A：この料理、簡単に**作れるよ。** B：**そう。**じゃあ、自分で**作ってみる。**
T301	A：**予約しておきましょうか。** B：**はい、お願いします。**	A：**予約しておこうか。**(▶ p.188) B：**うん、お願い。**
T302	A：桜**が咲いています**ね。 B：**そうです**ね。	A：桜**(が)咲いて(い)る**ね。 B：**そうだ**ね。
T303	A：財布を**落としてしまいました。** B：えっ、**そうなんですか。**	A：財布**(を)落としちゃった。** B：えっ、**そうなの？**
U12 T304	A：パーティーに**間に合いますか。** B：タクシーに乗れば**間に合います**よ。	A：パーティーに**間に合う？** B：タクシーに乗れば**間に合う**よ。
T305	A：試験に**落ちてしまいました。** もっと**勉強すればよかった**です。 B：**私もです。** あんなに**遊ばなければよかったです。**	A：試験に**落ちちゃった。** もっと**勉強すればよかった。** B：**私も。** あんなに**遊ばなきゃよかった。**
T306	A：どうやって**注文すればいいですか。** B：あそこで食券**を買ってください。**	A：どうやって**注文すればいい？** B：あそこで食券**(を)買って。**
U13 T307	1) 友だちにDVD**をあげました。** 2) 友だちがお菓子**をくれました。**	1) 友だちにDVD**(を)あげた。** 2) 友だちがお菓子**(を)くれた。**
T308	A：その映画のチケット、**どうしたんですか。** B：友だちに**もらいました。**	A：その映画のチケット、**どうしたの？** B：友だちに**もらった。**
T309	1) 友だちに英語**を教えてあげました。** 2) 友だちが日本語**を教えてくれました。**	1) 友だちに英語**(を)教えてあげた。** 2) 友だちが日本語**(を)教えてくれた。**
T310	A：昨日、友だちに宿題**を手伝ってもらいました。** B：**よかったです**ね。	A：昨日、友だちに宿題**(を)手伝ってもらった。** B：**よかった**ね。
U14 T311	A：来週のセミナー**に行きますか。** B：**はい。**先週**行けなかったので、** 今週**は行こうと思っています。**	A：来週のセミナー**(に)行く？** B：**うん。**先週**行けなかったから、** 今週**(は)行こうと思って(い)る。**
T312	A：レストラン**は予約しましたか。** B：予約しようと思ったら、**いっぱいでした。**	A：レストラン**(は)予約した？** B：予約しようと思ったら、**いっぱいだった。**

他動詞(たどうし)と自動詞(じどうし) Transitive Verbs & Intransitive Verbs

Transitive verbs express changes that result from a person's actions. Intransitive verbs express changes that are caused by a spontaneous external force.

他動詞(たどうし) Transitive Verbs	自動詞(じどうし) Intransitive Verbs
鍵(かぎ)を**かける** lock a door 	鍵(かぎ)が**かかる** a door is lock 
タクシーを**とめる** stop a taxi 	タクシーが**とまる** a taxi stops 
花(か)びんを**落(お)とす** drop a vase 	花(か)びんが**落(お)ちる** a vase falls 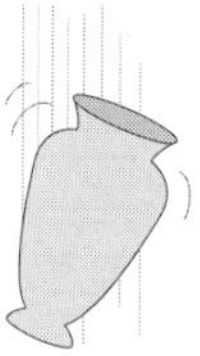
水(みず)を**出(だ)す** pour water 	水(みず)が**出(で)る** water pours 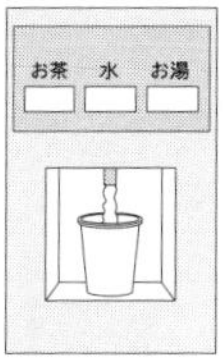
料理(りょうり)を**残(のこ)す** leave food 	料理(りょうり)が**残(のこ)る** food is left 

他動詞(たどうし) **Transitive Verbs**	**自動詞**(じどうし) **Intransitive Verbs**
電気(でんき)を**消(き)す** turn off the light	電気(でんき)が**消(き)える** the light goes out
エアコンを**つける** turn on the air conditioner	エアコンが**つく** the air conditioner is turned on
ドアを**閉(し)める** close a door	ドアが**閉(し)まる** a door is closed
服(ふく)を**汚(よご)す** dirty one's clothes	服(ふく)が**汚(よご)れる** clothes get dirty
カメラを**壊(こわ)す** break one's camera	カメラが**壊(こわ)れる** one's camera breaks

助詞 Particles
じょし

Creating longer sentences in Japanese typically involves inserting different kinds of information in between the subject and predicate. Grammatical units known as "particles" help simplify this process.
Japanese particles are similar to English prepositions like "in" and "at". As shown below, while English uses prepositions, which precede the noun, clause or phrase they modify, Japanese uses postpositions, which come after the clause or phrase.

彼の部屋**で**晩ご飯を食べました。 We had dinner **in** his room.
かれ へや ばん はん た

毎朝6時**に**起きます。 I wake up **at** six o'clock every morning.
まいあさ じ お

Although particles themselves do not carry any meaning, they serve an important role in sentence formation.
For example, English does not use particles and thus relies on word order within a sentence. Changing the order of words in an English sentence can result in a completely different meaning.

I gave her my dog. ≠ *I gave my dog her.

However, what is crucial in a Japanese sentence is not word order, but the units of information made up of a particle and the noun, clause, or phrase it modifies.

私は 彼女**に** 犬**を** あげました。 = 私は 犬**を** 彼女**に** あげました。 (I gave her my dog.)
わたし かのじょ いぬ わたし いぬ かのじょ

Even if the words of a sentence appear in a different order, as long as the particles remain the same, the meaning of the sentence does not change.

There are different types of particles. Take a look at the different particles and their functions below.

1. は

【Subject】

私**は**タイ人です。 I am a Thai person.
わたし じん

これ**は**500円です。 This costs 500 yen.
えん

【Topic】

昨日**は**居酒屋に行きました。 Yesterday I went to an izakaya.
きのう いざかや い

夏休み**は**何をしましたか。 What did you do over the summer break?
なつやす なに

【Comparisons】

すし**は**好(す)きですが、さしみ**は**嫌(きら)いです。　I like sushi, but I don't like sashimi.

2. を

【Object】

新聞(しんぶん)**を**読(よ)みます。　I read newspapers.
コーヒー**を**飲(の)みます。　I drink coffee.

3. に

【Object】

友(とも)だち**に**会(あ)います。　I'm going to see my friend.
父(ちち)**に**ネクタイをあげます。　I'm going to give my dad a necktie.
バス**に**乗(の)ります。　I'm going to get on the bus.

【Destination】

中国(ちゅうごく)**に**行(い)きます。　I' m going to China.
日本(にほん)**に**来(き)ます。　I'm coming to Japan.
うち**に**帰(かえ)ります。　I'm going back home.
*The particle へ is used to indicate a general direction as well as a destination and is interchangeable with に.

【Time】

7時(じ)**に**起(お)きます。　I get up at seven o'clock.
11時(じ)**に**寝(ね)ます。　I go to bed at eleven o'clock.
3時(じ)**に**戻(もど)ります。　I'll come back at three o'clock.

【Location】

弟(おとうと)の部屋(へや)**に**テレビがあります。　There's a TV in my little brother's room.
うち**に**猫(ねこ)がいます。　There's a cat in the house.

4. で

【Place of action】

レストラン**で**晩(ばん)ご飯(はん)を食(た)べます。　I will eat dinner at a restaurant.

【Means】

バス**で**行(い)きます。　I'll go by bus.

はし**で**食(た)べます。　I eat with chopsticks.

【Selection】

- Waiter: Would you like bread or rice? -

パン**で**お願(ねが)いします。　Bread, please.

5. の

【Possession】

私(わたし)**の**車(くるま)　my car

友(とも)だち**の**本(ほん)　my friend's book

【Affiliation】

A社(しゃ)**の**社員(しゃいん)　an employee of Company A

A大学(だいがく)**の**学生(がくせい)　a student at University A

【Attribute（Type/Nature）】

日本語(にほんご)**の**先生(せんせい)　a teacher of the Japanese language

イチゴ**の**ケーキ　strawberry cake

【Apposition】

友(とも)だち**の**洋子(ようこ)さん　my friend, Yōko-san

夫(おっと)**の**トム　my husband, Tom

【Pronoun】

赤(あか)い**の**　the red one

熱(あつ)い**の**　the hot one

6. と

【A partner in action】

友(とも)だち**と**映画(えいが)を見(み)ました。　I saw a movie with my friend.

エリさん**と**結婚(けっこん)しました。　I married Eri-san.

社長(しゃちょう)**と**話(はな)します。　I'll talk with the CEO.

【Parallel phrases】

パン**と**卵(たまご)　bread and eggs

7. も

【Sameness/Agreement】

これ**も**お願(ねが)いします　I'll have this, too, please.
私(わたし)**も**映画(えいが)が好(す)きです。　I also like movies.

【Emphasis】

ワインを5本(ほん)**も**飲(の)みました。　I drank five bottles of wine!

8. から

【Origin of duration or motion】

うち**から**学校(がっこう)まで30分(ぷん)かかります。　It takes thirty minutes from our house to the school.

9. まで

【End of duration or motion】

9時(じ)から11時(じ)**まで**勉強(べんきょう)します。　I study from nine until eleven o'clock.

10. が

Although the particle が essentially follows the subject of a sentence, it sometimes provides a function similar to other particles. Because this can make が confusing to use, try to remember the five patterns below.

【The subject of an interrogative sentence that uses an interrogative word】

誰(だれ)**が**来(き)ますか。　Who's coming?
いつ**が**いいですか。　When would be a good time?

【The subject of a sentence denoting possession or location】

うちにパソコン**が**あります。　We have a computer at our house.
トイレに猫(ねこ)**が**います。　There's a cat in the restroom.

【The subject of an embedded clause modifying a noun phrase】

これはベートーベン**が**作(つく)った曲(きょく)です。　This is a piece of music that is composed by Beethoven.

【Objects】

(1) 好き、嫌い、上手、下手 (like, dislike, be good at, be bad at)

サッカーを見るの**が**好きです。　I like to watch soccer.

(2) わかる、できる、見える、聞こえる (understand, can do, can see, can hear)

ここから富士山**が**見えます。　It is possible to see Mount Fuji from here.

(3) ほしい、～たい (want, want to ...)

新しいテレビ**が**ほしいです。　I want a new TV.

ラーメン**が**食べたいです。　I want to eat ramen.

【An aspect of part of the subject】

妹は髪**が**長いです。　My younger sister has long hair.

日本は犯罪**が**少ないです。　Japan has little crime.

語彙索引 Vocabulary Index

*V. (1) = Verb Group 1 (U-verbs), V. (2) = Verb Group 2 (Ru-verbs), V. (3) = Verb Group 3 (Irregular Verbs),
I-adj. = I-adjective, Na-adj. = Na-adjective, N. = Noun

あ

あ　あ　a　U2-SP1
あー　あー　ā　U7-SP2
(〜の)あいだで　(〜の)間で　(〜no)aida de　U7-SP3
あいろん　アイロン　[N.]　airon　U4-SP1
あう　会う　[V. (1)]　au　Verb Groups
あかわいん　赤ワイン　[N.]　aka-wain　U8-SP1
あき　秋　[N.]　aki　U8-SP1
あきはばら　秋葉原　[N.]　Akihabara　U2-SP2
(まどが)あく　(窓が)開く　[V. (1)]　(mado ga)aku　U11-SP3
(ほんやが)あく　(本屋が)開く　[V. (1)]　(honya ga)aku　U11-SP3
あく　空く　[V. (1)]　aku　U11-SP3
あくてぃびてぃ　アクティビティ　[N.]　akuthibithi　U5-SP2
あける　開ける　[V. (2)]　akeru　Verb Groups
あげる　あげる　[V. (2)]　ageru　U13-SP1
(ぼりゅーむを)あげる　(ボリュームを)あげる　[V. (2)]　(boryūmu o)ageru　U9-SP3
あさ　朝　[N.]　asa　U6-SP2
あさくさ　浅草　[N.]　Asakusa　U13-SP3
あさごはん　朝ご飯　[N.]　asa-gohan　U1-SP3
あさって　あさって　asatte　U10-SP2
あさはやく　朝早く　asa-hayaku　U9-SP2
あし　足　[N.]　ashi　U6-SP3
あした　明日　ashita　U1-SP2
あそこ　あそこ　[N.]　asoko　U12-SP3
あそぶ　遊ぶ　[V. (1)]　asobu　Verb Groups
あたま　頭　[N.]　atama　U8-SP3
あたらしい　新しい　[I-adj.]　atarashii　U3-SP2
あつめる　集める　[V. (2)]　atsumeru　U1-SP1
(〜の)あと　(〜の)あと　(〜no)ato　U3-SP3
あと　あと　ato　U3-SP2
あとで　あとで　ato de　U3-SP1
あね　姉　[N.]　ane　U8-SP2
あの　あの　ano　U7-SP1
あのー　あのー　anō　U3-SP4
あぱーと　アパート　[N.]　apāto　U8-SP4
あぷり　アプリ　[N.]　apuri　U8-SP1
あまい　甘い　[I-adj.]　amai　U8-SP4
あまり(〜ない)　あまり(〜ない)　amari(〜nai)　U1-SP1
あまる　あまる　[V. (1)]　amaru　U11-SP3
あむ　編む　[V. (1)]　amu　U13-SP4
あめ　雨　[N.]　ame　U1-SP3
あめりか　アメリカ　[N.]　Amerika　U3-SP3
あやまる　謝る　[V. (1)]　ayamaru　U5-SP2
あらう　洗う　[V. (1)]　arau　U1-SP3
(〜)あり　(〜)あり　[N.]　(〜)ari　U6-SP2
ありがとうございます。　ありがとうございます。　Arigatō gozaimasu.　U2-SP1
ある　ある　[V. (1)]　aru　Verb Groups
(さいふが)ある　(財布が)ある　[V. (1)]　(saifu ga)aru　U14-SP2
(ATMが)ある　(ATMが)ある　[V. (1)]　(ATM ga)aru　U10-SP1
(おかねが)ある　(お金が)ある　[V. (1)]　(o-kane ga)aru　U5-SP4
(かいぎが)ある　(会議が)ある　[V. (1)]　(kaigi ga)aru　U10-SP4
(くすりやが)ある　(薬屋が)ある　[V. (1)]　(kusuri-ya ga)aru　U7-SP4
(こいんろっかーが)ある　(コインロッカーが)ある　[V. (1)]　(koin-rokkā ga)aru　U7-SP1
(じかんが)ある　(時間が)ある　[V. (1)]　(jikan ga)aru　U2-SP1
(しゅうかんが)ある　(習慣が)ある　[V. (1)]　(shūkan ga)aru　U13-SP1
(てすとが)ある　(テストが)ある　[V. (1)]　(tesuto ga)aru　U10-SP2
(とらぶるが)ある　(トラブルが)ある　[V. (1)]　(toraburu ga)aru　U7-SP6
(にんきが)ある　(人気が)ある　[V. (1)]　(ninki ga)aru　U7-SP3
(のみほうだいが)ある　(飲み放題が)ある　[V. (1)]　(nomihōdai ga)aru　U7-SP2
(ふぁいるが)ある　(ファイルが)ある　[V. (1)]　(fairu ga)aru　U7-SP5
(ぷろじぇくたーが)ある　(プロジェクターが)ある　[V. (1)]　(purojekutā ga)aru　U10-SP1
(やすみが)ある　(休みが)ある　[V. (1)]　(yasumi ga)aru　U10-SP3

あるく　歩く　[V.(1)]　aruku　U2-SP4
あるばいと　アルバイト　[N.]　arubaito　U4-SP3
あんぜん　安全　[Na-adj.]　anzen　U7-SP1
あんな　あんな　anna　U12-SP2
あんないする　案内する　[V.(3)]　annai-suru　U9-SP2
あんなに(〜ない)　あんなに(〜ない)　annani(〜nai)　U12-SP2

い

いい　いい　[I-adj.]　ii　U5-SP4
(あたまが)いい　(頭が)いい　[I-adj.]　(atama ga)ii　U8-SP3
(からだに)いい　(体に)いい　[I-adj.]　(karada ni)ii　U7-SP3
(きゅうりょうが)いい　(給料が)いい　[I-adj.]　(kyūryō ga)ii　U8-SP1
(てんきが)いい　(天気が)いい　[I-adj.]　(tenki ga)ii　U7-SP1
(なかが)いい　(仲が)いい　[I-adj.]　(naka ga)ii　U10-SP3
いいえ　いいえ　iie　U1-SP1
いいです。　いいです。　Ii desu.　U3-SP4
いいですね。　いいですね。　Ii desu ne.　U5-SP4
いいですよ。　いいですよ。　Ii desu yo.　U3-SP2
いう　言う　[V.(1)]　iu　U3-SP1
いえ　家　[N.]　ie　U7-SP1
いく　行く　[V.(1)]　iku　Verb Groups
いぐあすのたき　イグアスの滝　[N.]　Iguasu no taki　U5-SP2
いくら　いくら　ikura　U10-SP5
いける　行ける　[V.(2)]　ikeru　U10-SP1
いざかや　居酒屋　[N.]　izakaya　U6-SP3
いじわる　意地悪　[Na-adj.]　ijiwaru　U8-SP3
いす　いす　[N.]　isu　U11-SP2
いそいで　急いで　isoide　U4-SP4
いそがしい　忙しい　[I-adj.]　isogashii　U4-SP3
いそぐ　急ぐ　[V.(1)]　isogu　Verb Groups
いたりあん　イタリアン　[N.]　itarian　U8-SP1
いちにち　1日　[N.]　ichi-nichi　U10-SP2
いちねん　1年　[N.]　ichi-nen　U8-SP2
いつ　いつ　itsu　U2-SP3
いっしゅうかん　1週間　[N.]　isshūkan　U3-SP2
いっしょに　いっしょに　issho ni　U3-SP1
いってらっしゃい。　いってらっしゃい。　Itterasshai.　U2-SP2
いっぱい　いっぱい　ippai　U14-SP2
いっぽんで　一本で　ippon de　U10-SP1
いつまでに　いつまでに　itsumade ni　U12-SP3
いつも　いつも　itsumo　U5-SP3
いぬ　犬　[N.]　inu　U2-SP3
いま　今　ima　U1-SP1
いまごろ　今ごろ　ima goro　U4-SP3
いまの〜　今の〜　ima no〜　U5-SP4
いままで　今まで　ima made　U13-SP2
いやほん　イヤホン　[N.]　iyahon　U9-SP3
いらっしゃい。　いらっしゃい。　Irasshai.　U3-SP1
いらないもの　いらないもの　[N.]　iranai mono　U14-SP1
いる　いる　[V.(2)]　iru　Verb Groups
(〜に)いる　(〜に)いる　[V.(2)]　(〜ni)iru　U6-SP2
(こどもが)いる　(子どもが)いる　[V.(2)]　(kodomo ga)iru　U10-SP2
いる　要る　[V.(1)]　iru　Verb Groups
いれる　入れる　[V.(1)]　ireru　Verb Groups
いんすとーるする　インストールする　[V.(3)]　insutōru-suru　U11-SP1
いんすとらくたー　インストラクター　[N.]　insutorakutā　U7-SP4
いんたーねっと　インターネット　[N.]　intānetto　U9-SP3

う

うーん　うーん　ūn　U1-SP1
(〜の)うえ　(〜の)上　(〜no)ue　U7-SP5
うぇぶ　ウェブ　[N.]　webu　U9-SP2
(しけんを)うける　(試験を)受ける　[V.(2)]　(shiken o)ukeru　U1-SP2
うごかす　動かす　[V.(1)]　ugokasu　U1-SP1
うた　歌　[N.]　uta　U1-SP1
うたう　歌う　[V.(1)]　utau　U1-SP1
うち　うち　[N.]　uchi　U2-SP2
うちあわせ　打ち合わせ　uchiawase　U14-SP2
うちわ　うちわ　[N.]　uchiwa　U13-SP2
うで　腕　[N.]　ude　U6-SP3
うでどけい　腕時計　[N.]　ude-dokei　U13-SP1
うまくいく　うまくいく　[V.(3)]　umaku-iku　U10-SP4
うまれる　生まれる　[V.(2)]　umareru　U7-SP6
うみ　海　[N.]　umi　U9-SP3
うりきれ　売り切れ　[N.]　urikire　U14-SP2
うりきれる　売り切れる　[V.(2)]　urikireru　U12-SP2
うんてん　運転　[N.]　unten　U9-SP1
うんてんする　運転する　[V.(3)]　unten-suru　U5-SP1
うんてんめんきょ　運転免許　[N.]　unten-menkyo　U4-SP2
うんどうする　運動する　[V.(3)]　undō-suru　U1-SP1

え

え　絵　[N.]　e　U1-SP1
え　え　e　U2-SP4
えあこん　エアコン　[N.]　eakon　U11-SP3
えいが　映画　[N.]　eiga　U1-SP2
えいぎょう　営業　[N.]　eigyō　U7-SP6
えいご　英語　[N.]　eigo　U2-SP3
ええ　ええ　ee　U1-SP3
えー　えー　ē　U4-SP4
えき　駅　[N.]　eki　U4-SP1
えきまえ　駅前　[N.]　ekimae　U13-SP2
えらぶ　選ぶ　[V. (1)]　erabu　U2-SP1
(〜)えん　(〜)円　(〜)en　U6-SP2
えんじにあ　エンジニア　[N.]　enjinia　U4-SP2

お

おいしい　おいしい　[I-adj.]　oishii　U2-SP3
おおい　多い　[I-adj.]　ōi　U7-SP2
おおきい　大きい　[I-adj.]　ōkii　U6-SP3
おおきく　大きく　ōkiku　U9-SP3
おおきくなる　大きくなる　[V. (1)]　ōkiku-naru　U13-SP1
おおさか　大阪　[N.]　Ōsaka　U5-SP4
おーろら　オーロラ　[N.]　ōrora　U9-SP3
おかし　お菓子　[N.]　o-kashi　U8-SP5
おかね　お金　[N.]　o-kane　U1-SP3
おきなわ　沖縄　[N.]　Okinawa　U10-SP3
おきゃくさん　お客さん　[N.]　o-kyaku-san　U4-SP1
おきる　起きる　[V. (2)]　okiru　Verb Groups
おく　置く　[V. (1)]　oku　U3-SP4
おくさん　奥さん　[N.]　okusan　U8-SP3
おくる　送る　[V. (1)]　okuru　U2-SP1
おくれる　遅れる　[V. (2)]　okureru　U6-SP1
おこのみやき　お好み焼き　[N.]　okonomiyaki　U5-SP4
おこる　怒る　[V. (1)]　okoru　Verb Groups
おさけ　お酒　[N.]　o-sake　U1-SP1
おさら　お皿　[N.]　o-sara　U4-SP1
おじいさん　おじいさん　[N.]　ojīsan　U7-SP4
(えいごを)おしえる　(英語を)教える　[V. (2)]　(eigo o)oshieru　U13-SP3
(みちを)おしえる　(道を)教える　[V. (2)]　(michi o)oshieru　U13-SP4
(れんらくさきを)おしえる　(連絡先を)教える　[V. (1)]　(renrakusaki o)oshieru　U3-SP1
おしゃべり　おしゃべり　[N.]　oshaberi　U10-SP3
おじゃまします。　おじゃまします。　Ojamashimasu.　U3-SP1
おしゃれ　おしゃれ　[Na-adj.]　oshare　U8-SP3
おしょうがつ　お正月　[N.]　o-shōgatsu　U5-SP3
おす　お酢　[N.]　o-su　U7-SP3
おすすめ　おすすめ　[N.]　osusume　U5-SP2
おせちりょうり　お節料理　[N.]　osechi-ryōri　U5-SP3
おだいじに。　お大事に。　Odaijini.　U11-SP4
おちゃ　お茶　[N.]　o-cha　U2-SP1
おちる　落ちる　[V. (2)]　ochiru　Verb Groups
(さいふが)おちる　(財布が)落ちる　[V. (2)]　(saifu ga)ochiru　U11-SP3
(しけんに)おちる　(試験に)落ちる　[V. (2)]　(shiken ni)ochiru　U12-SP2
おでかけですか。　お出かけですか。　Odekake desu ka.　U2-SP2
おてら　お寺　[N.]　o-tera　U5-SP3
おと　音　[N.]　oto　U9-SP3
おとうと　弟　[N.]　otōto　U4-SP2
おとこのひと　男の人　[N.]　otoko no hito　U3-SP4
おとしだま　お年玉　[N.]　otoshidama　U13-SP1
おとす　落とす　[V. (1)]　otosu　U5-SP4
おとな　大人　[N.]　otona　U13-SP1
おねがいします。　お願いします。　Onegaishimasu.　U2-SP1
おばあさん　おばあさん　[N.]　obāsan　U13-SP3
おはなみ　お花見　[N.]　o-hanami　U5-SP4
おふろ　お風呂　[N.]　o-furo　U4-SP3
おべんとう　お弁当　o-bentō　U6-SP4
おぼえる　覚える　[V. (2)]　oboeru　U6-SP4
おみせ　お店　[N.]　o-mise　U4-SP4
おみせのひと　お店の人　[N.]　o-mise no hito　U13-SP2
おみやげ　お土産　[N.]　o-miyage　U1-SP3
おもい　重い　[I-adj.]　omoi　U12-SP2
おもう　思う　[V. (1)]　omou　U7-SP1
おもしろい　おもしろい　[I-adj.]　omoshiroi　U7-SP1
およぐ　泳ぐ　[V. (1)]　oyogu　Verb Groups
おりる　おりる　[V. (2)]　oriru　Verb Groups
(やまを)おりる　(山を)おりる　[V. (2)]　(yama o)oriru　U1-SP3
(おかねを)おろす　(お金を)おろす　[V. (1)]　(o-kane o)orosu　U1-SP3
おわる　終わる　[V. (1)]　owaru　U5-SP4
おんがく　音楽　[N.]　ongaku　U9-SP3
おんせん　温泉　[N.]　onsen　U2-SP3
おんなのこ　女の子　[N.]　onna no ko　U7-SP3

か

かーてん　カーテン　[N.]　kāten　U11-SP3
かーど　カード　[N.]　kādo　U2-SP1

(〜)かい　(〜)回　(〜)kai　U6-SP2
かいいん　会員　[N.]　kaiin　U6-SP4
かいがいりょこう　海外旅行　[N.]　kaigai-ryokō　U13-SP4
かいぎ　会議　[N.]　kaigi　U1-SP3
かいぎしつ　会議室　[N.]　kaigi-shitsu　U4-SP4
がいしけい　外資系　[N.]　gaishikei　U7-SP4
かいしゃ　会社　[N.]　kaisha　U1-SP2
かいもの　買い物　[N.]　kaimono　U1-SP3
かいものする　買い物する　[V. (3)]　kaimono-suru　Verb Groups
かう　買う　[V. (1)]　kau　Verb Groups
かう　飼う　[V. (1)]　kau　U2-SP3
かうんたーせき　カウンター席　[N.]　kauntā-seki　U8-SP1
かえる　帰る　[V. (1)]　kaeru　Verb Groups
かえる　変える　[V. (2)]　kaeru　U1-SP1
(かぎが)かかる　(鍵が)かかる　[V. (1)]　(kagi ga)kakaru　U11-SP3
かぎ　鍵　[N.]　kagi　U7-SP4
かく　書く　[V. (1)]　kaku　Verb Groups
かく　描く　[V. (1)]　kaku　U1-SP1
がくせい　学生　[N.]　gakusei　U7-SP4
(あいろんを)かける　(アイロンを)かける　[V. (2)]　(airon o)kakeru　U4-SP1
(かぎを)かける　(鍵を)かける　[V. (2)]　(kagi o)kakeru　U10-SP4
(こしょうを)かける　(コショウを)かける　[V. (2)]　(koshō o)kakeru　U2-SP4
(そうじきを)かける　(掃除機を)かける　[V. (2)]　(sōjiki o)kakeru　U14-SP1
(でんわを)かける　(電話を)かける　[V. (2)]　(denwa o)kakeru　U9-SP2
(〜)かこくご　(〜)か国語　(〜)kakokugo　U10-SP1
かさ　かさ　[N.]　kasa　U2-SP1
かす　貸す　[V. (1)]　kasu　Verb Groups
かぜ　風邪　[N.]　kaze　U5-SP4
かぞく　家族　[N.]　kazoku　U8-SP2
かたかな　カタカナ　[N.]　katakana　U3-SP1
かたづける　片付ける　[V. (2)]　katazukeru　U2-SP1
かちょう　課長　[N.]　kachō　U7-SP6
(〜)がつ　(〜)月　(〜)gatsu　U5-SP3
がっき　楽器　[N.]　gakki　U5-SP1
かっこいい　かっこいい　[I-adj.]　kakkoii　U7-SP4
がっこう　学校　[N.]　gakkō　U1-SP3
かってくる　買ってくる　[V. (3)]　katte-kuru　U2-SP1
かどう　華道　[N.]　kadō　U11-SP1
かのじょ　彼女　[N.]　kanojo　U1-SP2
かび　カビ　[N.]　kabi　U14-SP2
かふぇ　カフェ　[N.]　kafe　U3-SP3
かまくら　鎌倉　[N.]　kamakura　U2-SP2
かみ　髪　[N.]　kami　U1-SP2
かみがた　髪形　[N.]　kamigata　U1-SP1
かよう　通う　[V. (1)]　kayou　U4-SP3
かようび　火曜日　[N.]　ka-yōbi　U7-SP4
(〜)から　(〜)から　(〜)kara　U2-SP1
(〜)から。　(〜)から。　(〜)kara.　U12-SP2
からーこんたくと　カラーコンタクト　[N.]　karā-kontakuto　U7-SP3
からおけ　カラオケ　[N.]　karaoke　U2-SP3
からだ　体　[N.]　karada　U1-SP1
からて　空手　[N.]　karate　U11-SP1
かりる　借りる　[V. (2)]　kariru　Verb Groups
かるい　軽い　[I-adj.]　karui　U8-SP4
かれ　彼　[N.]　kare　U1-SP2
かろりー　カロリー　[N.]　karorī　U8-SP4
(せきを)かわる　(席を)かわる　[V. (1)]　(seki o)kawaru　U2-SP1
かんこく　韓国　[N.]　Kankoku　U4-SP3
かんじ　漢字　[N.]　kanji　U3-SP1
かんたん　簡単　[Na-adj.]　kantan　U8-SP1
かんたんに　簡単に　kantan ni　U11-SP1
かんりひ　管理費　[N.]　kanri-hi　U6-SP2

き

(でーたが)きえる　(データが)消える　[V. (2)]　(dēta ga)kieru　U11-SP4
(でんきが)きえる　(電気が)消える　[V. (2)]　(denki ga)kieru　U11-SP3
きく　聞く　[V. (1)]　kiku　U3-SP4
(〜に)きく　(〜に)聞く　[V. (1)]　(〜ni)kiku　U4-SP4
きこえる　聞こえる　[V. (2)]　kikoeru　U9-SP3
きじ　記事　[N.]　kiji　U11-SP1
きせつ　季節　[N.]　kisetsu　U8-SP2
ぎたー　ギター　[N.]　gitā　U5-SP4
きちじょうじ　吉祥寺　[N.]　Kichijōji　U4-SP2
ぎっくりごし　ぎっくり腰　[N.]　gikkuri-goshi　U12-SP2
きていく　着ていく　[V. (1)]　kite-iku　U1-SP2
きにする　気にする　[V. (3)]　kinisuru　U6-SP1
きのう　昨日　kinō　U2-SP4
きめる　決める　[V. (2)]　kimeru　U4-SP4
きやすい　着やすい　[I-adj.]　ki-yasui　U8-SP4
きゃんせるする　キャンセルする　[V. (3)]　kyanseru-suru　U4-SP4

きゅうよう　急用 [N.] kyūyō U10-SP2
きゅうりょう　給料 [N.] kyūryō U4-SP3
きょう　今日 kyō U3-SP4
きょうかしょ　教科書 [N.] kyōkasho U11-SP4
きょうどう　共同 [N.] kyōdō U6-SP2
きょか　許可 [N.] kyoka U12-SP1
きょく　曲 [N.] kyoku U7-SP3
きょねん　去年 kyonen U4-SP3
きらい　嫌い [Na-adj.] kirai U1-SP1
きられなくなる　着られなくなる [V. (1)] kirarenaku-naru U12-SP2
きる　切る [V. (1)] kiru Verb Groups
(かみを)きる　(髪を)切る [V. (1)] (kami o)kiru U1-SP2
(でんげんを)きる　(電源を)切る [V. (1)] (dengen o)kiru U7-SP5
きる　着る [V. (2)] kiru Verb Groups
(にじが)きれい　(虹が)きれい [Na-adj.] (niji ga)kirei U5-SP2
(いえが)きれい　(家が)きれい [Na-adj.] (ie ga)kirei U8-SP3
(おくさんが)きれい　(奥さんが)きれい [Na-adj.] (okusan ga)kirei U8-SP3
(ばってりーが)きれる　(バッテリーが)切れる [V. (2)] (batterī ga)kireru U14-SP2
(〜)きろ　(〜)キロ [N.] (〜)kiro U9-SP2
ぎんこう　銀行 [N.] ginkō U2-SP2
きんじょ　近所 [N.] kinjo U11-SP1

く

ぐあい　具合 [N.] guai U7-SP6
くうこう　空港 [N.] kūkō U2-SP2
くすり　薬 [N.] kusuri U5-SP2
くすりや　薬屋 [N.] kusuri-ya U7-SP4
くだもの　くだもの [N.] kudamono U2-SP2
くつ　くつ [N.] kutsu U3-SP4
くに　国 [N.] kuni U1-SP2
くび　クビ [N.] kubi U12-SP2
くむ　組む [V. (1)] kumu U6-SP3
くやくしょ　区役所 [N.] ku-yakusho U2-SP2
(〜)ぐらい　(〜)ぐらい (〜)gurai U4-SP3
(へやが)くらい　(部屋が)暗い [I-adj.] (heya ga)kurai U8-SP4
くらいあんと　クライアント [N.] kuraianto U11-SP2
くらす　クラス [N.] kurasu U8-SP5
くらすめーと　クラスメート [N.] kurasu-mēto U7-SP3
くりあふぁいる　クリアファイル [N.] kuria-fairu U13-SP2
ぐりーん　グリーン [N.] gurīn U7-SP3
くる　来る [V. (3)] kuru Verb Groups
くるま　車 [N.] kuruma U4-SP2
くれじっとかーど　クレジットカード [N.] kurejitto-kādo U10-SP1
くれる　くれる [V. (2)] kureru U13-SP1

け

けあ　ケア [N.] kea U7-SP3
けいご　敬語 [N.] keigo U9-SP2
けいざい　経済 [N.] keizai U4-SP2
けいたい　携帯 [N.] keitai U3-SP2
けいたいでんわ　携帯電話 [N.] keitai-denwa U6-SP1
けーき　ケーキ [N.] kēki U2-SP1
げーむ　ゲーム [N.] gēmu U2-SP4
けが　けが [N.] kega U10-SP2
けさ　今朝 kesa U4-SP3
(でんきを)けす　(電気を)消す [V. (1)] (denki o)kesu U7-SP5
げすと　ゲスト [N.] gesuto U10-SP1
けち　けち [Na-adj.] kechi U8-SP3
けっこんしき　結婚式 [N.] kekkon-shiki U7-SP6
けっこんする　結婚する [V. (3)] kekkon-suru U3-SP4
げつようび　月曜日 [N.] getsu-yōbi U10-SP1
けんかする　けんかする [V. (3)] kenka-suru U11-SP4
げんきでやっています。　元気でやっています。 Genki de yatteimasu. U4-SP1
けんこうほけん　健康保険 [N.] kenkōhoken U6-SP4

こ

こいんろっかー　コインロッカー [N.] koin-rokkā U7-SP1
ごうか　豪華 [Na-adj.] gōka U7-SP6
ごうかくする　合格する [V. (3)] gōkaku-suru U5-SP4
こうこうせい　高校生 [N.] kōkōsei U13-SP2
こうしん　更新 [N.] kōshin U2-SP2
こうしんする　更新する [V. (3)] kōshin-suru U4-SP4
こうすい　香水 [N.] kōsui U13-SP2
こうつうしゅだん　交通手段 [N.] kōtsū-shudan U7-SP1
こうねつひ　光熱費 [N.] kōnetsu-hi U6-SP2
こえ　声 [N.] koe U6-SP3
こーす　コース [N.] kōsu U12-SP3
こーひー　コーヒー [N.] kōhī U11-SP4
ここ　ここ koko U3-SP4
ごご　午後 gogo U8-SP1
こしょう　コショウ [N.] koshō U2-SP4

ごぜん　午前　gozen　U8-SP1
ごぜんちゅう　午前中　gozen-chū　U12-SP3
ことし　今年　kotoshi　U7-SP2
こども　子ども　[N.]　kodomo　U1-SP1
この　この　kono　U3-SP2
このあいだ　この間　konoaida　U3-SP3
このへん　この辺　kono-hen　U7-SP4
ごはん　ご飯　[N.]　gohan　U1-SP3
こぴー　コピー　[N.]　kopī　U12-SP3
こぴーする　コピーする　[V. (3)]　kopī-suru　U1-SP3
こぼす　こぼす　[V. (1)]　kobosu　U11-SP4
ごみ　ゴミ　[N.]　gomi　U6-SP1
(～)こみ　(～)込　(～)komi　U6-SP2
こめでぃー　コメディー　[N.]　komedī　U2-SP3
ごるふ　ゴルフ　[N.]　gorufu　U4-SP1
これ　これ　kore　U10-SP3
これから　これから　korekara　U3-SP3
(～)ごろ　(～)ごろ　(～)goro　U4-SP3
ころぶ　転ぶ　[V. (1)]　korobu　U11-SP4
こわい　怖い　[I-adj.]　kowai　U2-SP3
こわれる　壊れる　[V. (2)]　kowareru　U11-SP4
こんげつ　今月　kongetsu　U2-SP4
こんさーと　コンサート　[N.]　konsāto　U12-SP2
こんしゅう　今週　konshū　U8-SP5
こんしゅうちゅう　今週中　konshū-chū　U6-SP2
こんたくと　コンタクト　[N.]　kontakuto　U7-SP3
こんでいる　混んでいる　[V. (2)]　konde-iru　U6-SP3
こんど　今度　kondo　U1-SP2
こんどの～　今度の～　kondo no～　U7-SP2
こんなに(～ない)　こんなに(～ない)　konnani(～nai)　U12-SP2
こんにちは。　こんにちは。　Konnichiwa.　U3-SP1
こんばん　今晩　[N.]　konban　U3-SP4
こんびに　コンビニ　[N.]　konbini　U2-SP2

さ

さあ　さあ　sā　U10-SP4
さーびす　サービス　[N.]　sābisu　U7-SP1
さーびすあぱーと　サービスアパート　[N.]　sābisu-apāto　U6-SP2
さーびすけん　サービス券　[N.]　sābisu-ken　U13-SP2
(～)さい　(～)歳　(～)sai　U3-SP4
さいきん　最近　saikin　U4-SP1
さいしょ　最初　saisho　U11-SP1
さいたま　埼玉　[N.]　Saitama　U4-SP2
さいはいたつする　再配達する　[V. (3)]　sai-haitatsu-suru　U13-SP4
さいふ　財布　[N.]　saifu　U5-SP4
さがす　探す　[V. (1)]　sagasu　U2-SP2
さきに　先に　saki ni　U3-SP1
さく　咲く　[V. (1)]　saku　U11-SP3
さくら　桜　[N.]　sakura　U11-SP3
さそう　誘う　[V. (1)]　sasou　U13-SP3
さっかー　サッカー　[N.]　sakkā　U1-SP1
さどう　茶道　[N.]　Sadō　U11-SP1
さぷり　サプリ　[N.]　sapuri　U11-SP1
さぼる　サボる　[V. (1)]　saboru　U5-SP1
さわぐ　騒ぐ　[V. (1)]　sawagu　U6-SP3
(～)さん　(～)さん　～san　U1-SP2
ざんぎょうする　残業する　[V. (3)]　zangyō-suru　U7-SP6
ざんねんです。　残念です。　Zannen desu.　U11-SP3
さんぷる　サンプル　[N.]　sanpuru　U12-SP3
さんぽする　散歩する　[V. (3)]　sampo-suru　U10-SP2

し

じ　字　[N.]　ji　U9-SP3
(～)じ　(～)字　(～)ji　U9-SP1
(～)じ　(～)時　(～)ji　U4-SP3
しーとべると　シートベルト　[N.]　shīto-beruto　U6-SP4
しぇあはうす　シェアハウス　[N.]　shea-hausu　U6-SP2
しぇふ　シェフ　[N.]　shefu　U7-SP3
しか(～ない)　しか(～ない)　shika(～nai)　U10-SP1
しかご　シカゴ　[N.]　Shikago　U4-SP2
じかん　時間　[N.]　jikan　U2-SP1
(～)じかん　(～)時間　(～)jikan　U4-SP3
しけん　試験　[N.]　shiken　U1-SP2
しごと　仕事　[N.]　shigoto　U3-SP3
(～)ししゃ　(～)支社　[N.]　(～)shisha　U7-SP6
しずか　静か　[Na-adj.]　shizuka　U8-SP3
しぜん　自然　[N.]　shizen　U8-SP3
しっています　知っています　shitte-imasu　U2-SP1
じつは　実は　jitsu wa　U11-SP4
じてんしゃ　自転車　[N.]　jitensha　U1-SP1
しぬ　死ぬ　[V. (1)]　shinu　Verb Groups
しばらく　しばらく　shibaraku　U5-SP4
(～)じはん　(～)時半　(～)jihan　U6-SP2
(あしが)しびれる　(足が)しびれる　[V. (2)]　(ashi ga)shibireru　U11-SP1
しぶや　渋谷　[N.]　Shibuya　U2-SP2
じぶん　自分　jibun　U7-SP3
じぶんで　自分で　jibun de　U7-SP2
しまう　しまう　[V. (1)]　shimau　U7-SP5
じむ　ジム　[N.]　jimu　U4-SP3
しめきり　締め切り　shimekiri　U14-SP2

(どあを)しめる　(ドアを)閉める　[V. (2)]
(doa o)shimeru　U2-SP1
(かぎを)しめる　(鍵を)閉める　[V. (2)]
(kagi o)shimeru　U7-SP4
じゃあ　じゃあ　jā　U1-SP3
しゃい　シャイ　[Na-adj.]　shai　U8-SP3
しゃしん　写真　[N.]　shashin　U2-SP2
しゃつ　シャツ　[N.]　shatsu　U10-SP5
しゅうかん　習慣　[N.]　shūkan　U13-SP1
じゅうでんき　充電器　[N.]　jūden-ki　U3-SP2
しゅうまつ　週末　shūmatsu　U1-SP2
じゅうみんひょう　住民票　[N.]　jūminhyō　U2-SP2
じゅぎょう　授業　[N.]　jugyō　U3-SP3
しゅくだい　宿題　[N.]　shukudai　U1-SP3
しゅっしん　出身　[N.]　shusshin　U10-SP1
じゅんび　準備　[N.]　junbi　U5-SP4
じゅんびする　準備する　[V. (3)]　junbi-suru　U2-SP1
しょうかいする　紹介する　[V. (3)]　shōkai-suru　U13-SP3
しょうがっこう　小学校　[N.]　shōgakkō　U6-SP4
じょうし　上司　[N.]　jōshi　U8-SP3
じょうず　上手　[Na-adj.]　jōzu　U5-SP4
しょうゆ　しょうゆ　[N.]　shōyu　U3-SP1
しょくじ　食事　[N.]　shokuji　U10-SP2
しょっけん　食券　[N.]　shokken　U12-SP3
しょるい　書類　[N.]　shorui　U13-SP4
しらせる　知らせる　[V. (2)]　shiraseru　U11-SP2
しらないひと　知らない人　[N.]　shiranai hito　U13-SP4
しらべる　調べる　[V. (2)]　shiraberu　U11-SP1
しりあい　知り合い　[N.]　shiriai　U13-SP4
しりーず　シリーズ　[N.]　shirīzu　U8-SP2
しりょう　資料　[N.]　shiryō　U1-SP3
しる　知る　[V. (1)]　shiru　Verb Groups
しろわいん　白ワイン　[N.]　shiro-wain　U8-SP1
しんかんせん　新幹線　[N.]　shinkansen　U8-SP1
じんこう　人口　[N.]　jinkō　U8-SP2
じんじゃ　神社　[N.]　jinja　U5-SP3
しんじゅく　新宿　[N.]　Shinjuku　U2-SP2
しんせつ　親切　[Na-adj.]　shinsetsu　U13-SP4
しんぱいする　心配する　[V. (3)]　shinpai-suru　U6-SP1

す

すいぞくかん　水族館　[N.]　suizokukan　U2-SP3
すいようび　水曜日　[N.]　sui-yōbi　U2-SP2
(たばこを)すう　(たばこを)吸う　[V. (1)]
(tabako o)suu　U3-SP4
すーつ　スーツ　[N.]　sūtsu　U6-SP4
すーつけーす　スーツケース　[N.]　sūtsu-kēsu　U13-SP4
すーぱー　スーパー　[N.]　sūpā　U2-SP2
すき　好き　[Na-adj.]　suki　U1-SP1
すきゅーばだいびんぐ　スキューバダイビング　[N.]
sukyūba-daibingu　U7-SP4
すくない　少ない　[I-adj.]　sukunai　U8-SP5
すぐに　すぐに　sugu ni　U9-SP1
すけじゅーる　スケジュール　[N.]　sukejūru　U4-SP4
すけっち　スケッチ　[N.]　sukecchi　U1-SP3
すごいですね。　すごいですね。　Sugoi desu ne.　U9-SP2
すごく　すごく　sugoku　U6-SP3
すこし　少し　sukoshi　U3-SP3
すし　寿司　[N.]　sushi　U8-SP2
ずっと　ずっと　zutto　U7-SP2
すてーじ　ステージ　[N.]　sutēji　U9-SP3
すてき　素敵　[Na-adj.]　suteki　U8-SP3
すてる　捨てる　[V. (2)]　suteru　U6-SP1
すとーりー　ストーリー　[N.]　sutōrī　U8-SP5
すとれす　ストレス　[N.]　sutoresu　U5-SP4
すぽーつ　スポーツ　[N.]　supōtsu　U1-SP1
すぽーつくらぶ　スポーツクラブ　[N.]
supōtsu-kurabu　U7-SP3
すみません。　すみません。　Sumimasen.　U2-SP1
すみません。　すみません。　Sumimasen.　U3-SP1
すみません。　すみません。　Sumimasen.　U3-SP2
すみません。　すみません。　Sumimasen.　U3-SP4
すみませんが　すみませんが　Sumimasen ga　U3-SP2
すむ　住む　[V. (1)]　sumu　U4-SP2
すりっぱ　スリッパ　[N.]　surippa　U3-SP1
する　する　[V. (3)]　suru　Verb Groups
(なにを)する　(何を)する　[V. (3)]　(nani o)suru　U1-SP2
(あるばいとを)する　(アルバイトを)する　[V. (3)]
(arubaito o)suru　U4-SP3
(いんすとらくたーを)する　(インストラクターを)する
[V. (3)]　(insutorakutā o)suru　U7-SP4
(うんてんを)する　(運転を)する　[V. (3)]
(unten o)suru　U9-SP1
(えんじにあを)する　(エンジニアを)する　[V. (3)]
(enjinia o)suru　U4-SP2
(おしゃべりを)する　(おしゃべりを)する　[V. (3)]
(oshaberi o)suru　U10-SP3
(おはなみを)する　(お花見を)する　[V. (3)]
(o-hanami o)suru　U5-SP4
(かいものを)する　(買い物を)する　[V. (3)]
(kaimono o)suru　U3-SP3
(からおけを)する　(カラオケを)する　[V. (3)]
(karaoke o)suru　U4-SP1

（けあを）する　（ケアを）する　[V.(3)]　(kea o)suru　U7-SP3
（げーむを）する　（ゲームを）する　[V.(3)]　(gēmu o)suru　U2-SP4
（けがを）する　（けがを）する　[V.(3)]　(kega o)suru　U10-SP2
（こうしんを）する　（更新を）する　[V.(3)]　(kōshin o)suru　U2-SP2
（ごるふを）する　（ゴルフを）する　[V.(3)]　(gorufu o)suru　U4-SP1
（しーとべるとを）する　（シートベルトを）する　[V.(3)]　(shīto-beruto o)suru　U6-SP4
（しごとを）する　（仕事を）する　[V.(3)]　(shigoto o)suru　U10-SP3
（しゅくだいを）する　（宿題を）する　[V.(3)]　(shukudai o)suru　U1-SP3
（じゅんびを）する　（準備を）する　[V.(3)]　(junbi o)suru　U6-SP2
（すけっちを）する　（スケッチを）する　[V.(3)]　(sukecchi o)suru　U1-SP3
（だうんろーどを）する　（ダウンロードを）する　[V.(3)]　(daunrōdo o)suru　U9-SP2
（ぷれぜんを）する　（プレゼンを）する　[V.(3)]　(purezen o)suru　U3-SP3
（べんきょうを）する　（勉強を）する　[V.(3)]　(benkyō o)suru　U2-SP3
（むりを）する　（無理を）する　[V.(3)]　(muri o)suru　U6-SP1
（もうしこみを）する　（申し込みを）する　[V.(3)]　(mōshikomi o)suru　U4-SP4
（こうしんを）する　（更新を）する　[V.(3)]　(kōshin o)suru　U6-SP2
すわる　座る　[V.(1)]　suwaru　Verb Groups

せ

せ　背　[N.]　se　U8-SP2
せいかつ　生活　[N.]　seikatsu　U7-SP1
せいけいする　整形する　[V.(3)]　seikei-suru　U7-SP6
せいこうする　成功する　[V.(3)]　seikō-suru　U7-SP6
せいざ　正座　[N.]　seiza　U11-SP1
せーたー　セーター　[N.]　sētā　U13-SP4
せーる　セール　[N.]　sēru　U7-SP5
せかい　世界　[N.]　sekai　U8-SP2
せかいじゅう　世界中　sekai-jū　U5-SP4
せき　席　[N.]　seki　U2-SP1
（～）せき　（～）席　（～）seki　U7-SP2
せっしょんする　セッションする　[V.(3)]　sesshon-suru　U5-SP4
ぜったい　絶対　zettai　U5-SP2
ぜひ　ぜひ　zehi　U11-SP1
（へやが）せまい　（部屋が）せまい　[I-adj.]　(heya ga)semai　U8-SP4
せみ　せみ　[N.]　semi　U9-SP3
せみなー　セミナー　[N.]　seminā　U1-SP2
ぜん～　全～　zen～　U7-SP2
せんげつ　先月　sengetsu　U4-SP3
せんしゅう　先週　senshū　U4-SP3
せんせい　先生　[N.]　sensei　U2-SP3
ぜんぜん（～ない）　ぜんぜん（～ない）　zenzen(～nai)　U10-SP5
せんたくする　洗濯する　[V.(3)]　sentaku-suru　U5-SP3
せんぱい　先輩　[N.]　senpai　U8-SP3
ぜんぶ　全部　zenbu　U6-SP4

そ

そうかもしれませんね。　そうかもしれませんね。　Sō kamoshiremasen ne.　U7-SP2
そうじき　掃除機　[N.]　sōji-ki　U14-SP1
そうじする　掃除する　[V.(3)]　sōji-suru　U4-SP1
そうしましょう。　そうしましょう。　Sō-shimasho.　U5-SP4
そうします。　そうします。　Sō shimasu.　U5-SP2
そうだんする　相談する　[V.(3)]　sōdan-suru　U5-SP2
そうでしたか。　そうでしたか。　Sō deshita ka.　U7-SP6
そうですか。　そうですか。　Sō desu ka.　U2-SP2
そうですか。　そうですか。　Sō desu ka.　U8-SP5
そうですね。　そうですね。　Sō desu ne.　U6-SP3
そうですね…　そうですね…　Sō desu ne…　U5-SP3
そうですねえ　そうですねえ　Sō desu nē　U7-SP1
そうなんですか。　そうなんですか。　Sō nandesu ka.　U2-SP4
そうなんですか。　そうなんですか。　Sō nandesu ka.　U4-SP4
そうべつかい　送別会　[N.]　sōbetsu-kai　U1-SP2
そうみたいですね。　そうみたいですね。　Sō mitai desu ne.　U7-SP3
そして　そして　soshite　U7-SP1
そつぎょうする　卒業する　[V.(3)]　sotsugyō-suru　U3-SP3
そと　外　[N.]　soto　U3-SP4
その　その　sono　U3-SP2
そのころ　そのころ　sono-koro　U4-SP3
そのへん　その辺　sono-hen　U7-SP5

そふ　祖父　[N.]　sofu　U13-SP1
そぼ　祖母　[N.]　sobo　U13-SP4
それが…　それが…　sorega…　U10-SP1
それから　それから　sorekara　U3-SP3
それで　それで　sorede　U14-SP2
それに　それに　soreni　U10-SP1
そろそろ　そろそろ　sorosoro　U3-SP1

た

たい　タイ　[N.]　Tai　U7-SP2
だいえっとする　ダイエットする　[V. (3)]　daietto-suru　U5-SP1
だいがく　大学　[N.]　daigaku　U3-SP3
だいじ　大事　[Na-adj.]　daiji　U11-SP4
たいしかん　大使館　[N.]　taishikan　U2-SP2
だいじょうぶです。　大丈夫です。　Daijōbu desu.　U2-SP1
だいじょうぶですか。　大丈夫ですか。　Daijōbu desu ka.　U2-SP4
だいすき　大好き　[Na-adj.]　daisuki　U1-SP1
たいせつ　大切　[Na-adj.]　taisetsu　U8-SP1
たいふう　台風　[N.]　taifū　U14-SP2
たいへん　大変　[Na-adj.]　taihen　U8-SP3
だうんろーど　ダウンロード　[N.]　daunrōdo　U9-SP2
(かろりーが)たかい　(カロリーが)高い　[I-adj.]　(karorī ga) takai　U8-SP4
(ねだんが)たかい　(値段が)高い　[I-adj.]　(nedan ga) takai　U8-SP1
だから　だから　dakara　U6-SP2
たくさん　たくさん　takusan　U5-SP4
たくしー　タクシー　[N.]　takushī　U8-SP1
(〜)だけ　(〜)だけ　(〜)dake　U7-SP3
(にもつを)だす　(荷物を)出す　[V. (1)]　(nimotsu o) dasu　U2-SP2
たすかります。　助かります。　Tasukarimasu.　U3-SP2
たな　棚　[N.]　tana　U14-SP1
たのしい　楽しい　[I-adj.]　tanoshii　U8-SP5
たのしみ　楽しみ　[Na-adj.]　tanoshimi　U5-SP4
たのむ　頼む　[V. (1)]　tanomu　U4-SP4
たばこ　たばこ　[N.]　tabako　U3-SP4
たぶん　たぶん　tabun　U7-SP5
たべもの　食べ物　[N.]　tabemono　U4-SP4
たべる　食べる　[V. (2)]　taberu　Verb Groups
たまご　たまご　[N.]　tamago　U11-SP3
(すとれすが)たまる　(ストレスが)たまる　[V. (1)]　(sutoresu ga) tamaru　U5-SP4
だめ　ダメ　[Na-adj.]　dame　U10-SP2
だめです。　だめです。　Dame desu.　U3-SP4
だるい　だるい　[I-adj.]　darui　U5-SP2
だれ　誰　dare　U2-SP3
だれにも(〜ない)　誰にも(〜ない)　darenimo(〜nai)　U13-SP2
たんじょうび　誕生日　[N.]　tanjōbi　U10-SP1

ち

ちいさい　小さい　[I-adj.]　chiisai　U8-SP5
ちーず　チーズ　[N.]　chīzu　U8-SP2
ちーむ　チーム　[N.]　chīmu　U2-SP3
ちぇっくする　チェックする　[V. (3)]　chekku-suru　U1-SP3
ちかい　近い　[I-adj.]　chikai　U8-SP3
ちかく　近く　chikaku　U13-SP4
ちかくに　近くに　chikaku ni　U7-SP3
ちかてつ　地下鉄　[N.]　chikatetsu　U10-SP1
ちけっと　チケット　[N.]　chiketto　U4-SP4
ちこくする　遅刻する　[V. (3)]　chikoku-suru　U11-SP4
ちず　地図　[N.]　chizu　U13-SP2
ちち　父　[N.]　chichi　U13-SP2
ちっぷ　チップ　[N.]　chippu　U6-SP4
ちゃーはん　チャーハン　[N.]　chāhan　U8-SP4
ちゃんと　ちゃんと　chanto　U7-SP3
ちゅうごく　中国　[N.]　Chūgoku　U8-SP2
ちゅうもんする　注文する　[V. (3)]　chūmon-suru　U2-SP1
ちょこれーと　チョコレート　[N.]　chokorēto　U13-SP2
ちょっと　ちょっと　chotto　U2-SP4
ちょっと　ちょっと　chotto　U3-SP1
ちょっと　ちょっと　chotto　U3-SP4
ちょっと…　ちょっと…　chotto…　U3-SP4
ちょっといいですか。　ちょっといいですか。　Chotto ii desu ka.　U3-SP2

つ

つあー　ツアー　[N.]　tsuā　U8-SP1
つうじる　通じる　[V. (2)]　tsūjiru　U7-SP3
つうやく　通訳　[N.]　tsūyaku　U4-SP4
つかう　使う　[V. (1)]　tsukau　U2-SP4
つかえる　使える　[V. (2)]　tsukaeru　U10-SP1
つかれる　疲れる　[V. (2)]　tsukareru　U10-SP2
つぎ　次　tsugi　U2-SP3
つき〜　月〜　tsuki〜　U6-SP2
つきあう　つきあう　[V. (1)]　tsukiau　U10-SP5
つく　着く　[V. (1)]　tsuku　U5-SP4
(えあこんが)つく　(エアコンが)つく　[V. (1)]　(eakon ga) tsuku　U11-SP3

(ほおづえを)つく　(ほおづえを)つく　[V. (1)]　(hōzue o) tsuku　U6-SP3
つくえ　机　[N.]　tsukue　U7-SP5
つくる　作る　[V. (1)]　tsukuru　Verb Groups
(ごはんを)つくる　(ご飯を)作る　[V. (1)]　(gohan o)tsukuru　U3-SP3
(しりょうを)つくる　(資料を)作る　[V. (1)]　(shiryō o)tsukuru　U4-SP4
(りょうりを)つくる　(料理を)作る　[V. (1)]　(ryōri o)tsukuru　U9-SP1
つくれる　作れる　[V. (2)]　tsukureru　U11-SP1
(でんきを)つける　(電気を)つける　[V. (2)]　(denki o)tsukeru　U2-SP1
(わさびを)つける　(わさびを)つける　[V. (2)]　(wasabi o)tsukeru　U2-SP4
つたえる　伝える　[V. (2)]　tsutaeru　U11-SP2
つづける　続ける　[V. (2)]　tsuzukeru　U10-SP4
つとめる　勤める　[V. (2)]　tsutomeru　U4-SP2
つれていく　連れていく　[V. (3)]　tsurete-iku　U10-SP2
つれてくる　連れてくる　[V. (3)]　tsurete-kuru　Verb Groups

て

て　手　[N.]　te　U1-SP3
てぃーしゃつ　Tシャツ　[N.]　T-shatsu　U13-SP1
てぃっしゅ　ティッシュ　[N.]　thisshu　U13-SP2
でーた　データ　[N.]　dēta　U3-SP2
でーと　デート　[N.]　dēto　U2-SP3
てーぶるせき　テーブル席　[N.]　tēburu-seki　U8-SP1
でかける　出かける　[V. (2)]　dekakeru　U1-SP3
てきすと　テキスト　[N.]　tekisuto　U6-SP4
(きゅうようが)できる　(急用が)できる　[V. (2)]　(kyūyō ga)dekiru　U10-SP2
(じゅんびが)できる　(準備が)できる　[V. (2)]　(junbi ga)dekiru　U5-SP4
(すぽーつくらぶが)できる　(スポーツクラブが)できる　[V. (2)]　(supōtsu-kurabu ga)dekiru　U7-SP3
(みせが)できる　(店が)できる　[V. (2)]　(mise ga)dekiru　U10-SP3
(ようじが)できる　(用事が)できる　[V. (2)]　(yōji ga)dekiru　U11-SP4
できるだけ　できるだけ　dekirudake　U5-SP4
てじな　手品　[N.]　tejina　U9-SP1
てすと　テスト　[N.]　tesuto　U5-SP4
てつだう　手伝う　[V. (1)]　tetsudau　Verb Groups
でぱーと　デパート　[N.]　depāto　U12-SP1
でも　でも　demo　U1-SP1
(かいしゃを)でる　(会社を)出る　[V. (2)]　(kaisha o)deru　U10-SP4
(うちを)でる　(うちを)出る　[V. (2)]　(uchi o)deru　U6-SP2
(かいぎに)でる　(会議に)出る　[V. (2)]　(kaigi ni)deru　U3-SP3
(せみなーに)でる　(セミナーに)出る　[V. (2)]　(seminā ni)deru　U14-SP1
(ねつが)でる　(熱が)出る　[V. (2)]　(netsu ga)deru　U11-SP4
(ばーじょんが)でる　(バージョンが)出る　[V. (2)]　(bājon ga)deru　U7-SP3
てんき　天気　[N.]　tenki　U7-SP1
でんき　電気　[N.]　denki　U2-SP1
でんきだい　電気代　[N.]　denki-dai　U2-SP2
でんきや　電気屋　[N.]　denki-ya　U8-SP1
てんきよほう　天気予報　[N.]　tenki-yohō　U1-SP3
でんげん　電源　[N.]　dengen　U7-SP5
でんしじしょ　電子辞書　[N.]　denshi-jisho　U8-SP1
でんしゃ　電車　[N.]　densha　U3-SP4
てんしょくする　転職する　[V. (3)]　tenshoku-suru　U10-SP5
でんわ　電話　[N.]　denwa　U9-SP2
でんわする　電話する　[V. (3)]　denwa-suru　U3-SP4

と

どあ　ドア　[N.]　doa　U2-SP1
(～)といいます　(～)と言います　(～)to iimasu　U5-SP3
(～)といっています　(～)と言っています　(～)to itte-imasu　U13-SP2
どいつご　ドイツ語　[N.]　Doitsu-go　U9-SP1
といれ　トイレ　[N.]　toire　U3-SP2
どうおもいますか。　どう思いますか。　Dō omoimasu ka.　U7-SP1
とうきょう　東京　[N.]　Tōkyō　U3-SP3
どうしたんですか。　どうしたんですか。　Dō shitan desu ka.　U2-SP4
とうじつ　当日　[N.]　tōjitsu　U12-SP1
どうしていますか。　どうしていますか。　Dō shite imasu ka.　U4-SP1
どうぞ　どうぞ　dōzo　U3-SP1
どうでしたか　どうでしたか。　Dō deshita ka.　U8-SP5
どうですか　どうですか。　Dō desu ka.　U3-SP4
どうですか(～は)　(～は)どうですか。　(～wa)dō desu ka.　U2-SP2
どうやって　どうやって　dōyatte　U10-SP5

どうりょう　同僚　[N.]　dōryō　U13-SP1
とおい　遠い　[I-adj.]　tōi　U8-SP3
どーなつ　ドーナツ　[N.]　dōnatsu　U11-SP3
(〜)とき　(〜)とき　(〜)toki　U1-SP1
ときどき　ときどき　tokidoki　U2-SP4
とくい　得意　[Na-adj.]　tokui　U1-SP1
どこ　どこ　doko　U2-SP3
どこでも　どこでも　dokodemo　U9-SP2
ところ　ところ　[N.]　tokoro　U8-SP3
とし　年　[N.]　toshi　U5-SP4
どちら　どちら　dochira　U8-SP1
とても　とても　totemo　U4-SP3
とどく　届く　[V.(1)]　todoku　U10-SP1
となり　となり　[N.]　tonari　U8-SP4
となりのひと　となりの人　[N.]　tonari no hito　U8-SP3
どの　どの　dono　U8-SP2
どのぐらい　どのぐらい　dono-gurai　U12-SP3
とほ　徒歩　[N.]　toho　U6-SP2
とまる　泊まる　[V.(1)]　tomaru　U5-SP1
(くるまが)とまる　(車が)とまる　[V.(1)]　(kuruma ga)tomaru　U11-SP3
(じてんしゃを)とめる　(自転車を)とめる　[V.(2)]　(jitensha o)tomeru　U6-SP1
ともだち　友だち　[N.]　tomodachi　U1-SP2
どようび　土曜日　[N.]　do-yōbi　U2-SP2
とらぶる　トラブル　[N.]　toraburu　U7-SP3
とりかえる　取りかえる　[V.(2)]　torikaeru　U3-SP2
とりひきさき　取引先　[N.]　torihiki-saki　U4-SP4
とる　撮る　[V.(1)]　toru　U2-SP2
とる　取る　[V.(1)]　toru　Verb Groups
(MBAを)とる　(MBAを)取る　[V.(1)]　(MBA o)toru　U1-SP2
(じゅうみんひょうを)とる　(住民票を)取る　[V.(1)]　(jūminhyō o)toru　U2-SP2
(しょうゆを)とる　(しょうゆを)取る　[V.(1)]　(shōyu o)toru　U3-SP1
(としを)とる　(年を)取る　[V.(1)]　(toshi o)toru　U5-SP4
(びざを)とる　(ビザを)取る　[V.(1)]　(biza o)toru　U2-SP2
(やすみを)とる　(休みを)取る　[V.(2)]　(yasumi o)toru　U5-SP4
どれす　ドレス　[N.]　doresu　U1-SP2
どんな　どんな　donna　U2-SP3
どんなふうに　どんなふうに　donnafū ni　U12-SP3

な

(しりょうを)なおす　(資料を)直す　[V.(1)]　(shiryō o)naosu　U4-SP4
なか　中　[N.]　naka　U3-SP4
なか　仲　[N.]　naka　U10-SP3
(〜の)なか　(〜の)中　(〜no)naka　U3-SP4
ながい　(休みが)長い　[I-adj.]　(yasumi ga)nagai　U10-SP3
(せみなーが)ながい　(セミナーが)長い　[I-adj.]　(seminā ga)nagai　U8-SP5
ながく　長く　nagaku　U6-SP3
ながさき　長崎　[N.]　Nagasaki　U10-SP1
なかの　中野　[N.]　Nakano　U7-SP4
なきごえ　鳴き声　[N.]　naki-goe　U9-SP3
(かぎを)なくす　(鍵を)なくす　[V.(1)]　(kagi o)nakusu　U11-SP4
(さいふを)なくす　(財布を)なくす　[V.(1)]　(saifu o)nakusu　U13-SP3
なつ　夏　[N.]　natsu　U5-SP1
なっとう　納豆　[N.]　nattō　U5-SP1
なつやすみ　夏休み　[N.]　natsu-yasumi　U1-SP2
なに　何　nani　U1-SP2
なにか　何か　nanika　U2-SP1
なにも　何も　nanimo　U10-SP2
なまえ　名前　[N.]　namae　U9-SP1
ならいごと　習い事　[N.]　narai-goto　U11-SP1
ならう　習う　[V.(1)]　narau　U5-SP1
ならべる　並べる　[V.(2)]　naraberu　U11-SP2
(いそがしく)なる　(忙しく)なる　[V.(1)]　(isogashiku)naru　U7-SP2
(かいいんに)なる　(会員に)なる　[V.(1)]　(kaiin ni)naru　U6-SP4
(かちょうに)なる　(課長に)なる　[V.(1)]　(kachō ni)naru　U7-SP6
(ぎっくりごしに)なる　(ぎっくり腰に)なる　[V.(1)]　(gikkuri-goshi ni)naru　U12-SP2
(くびに)なる　(クビに)なる　[V.(1)]　(kubi ni)naru　U12-SP2
(じょうずに)なる　(上手に)なる　[V.(1)]　(jōzu ni)naru　U5-SP4
(なつに)なる　(夏に)なる　[V.(1)]　(natsu ni)naru　U9-SP3
(はるに)なる　(春に)なる　[V.(1)]　(haru ni)naru　U5-SP4
(びょうきに)なる　(病気に)なる　[V.(1)]　(byōki ni)naru　U13-SP3

(ぺらぺらに)なる　(ペラペラに)なる　[V.(1)]　(perapera ni)naru　U5-SP4
(よこに)なる　(横に)なる　[V.(1)]　(yoko ni)naru　U5-SP2
なれる　慣れる　[V.(2)]　nareru　U9-SP2
なんかい　何回　nan-kai　U12-SP3
なんかこくご　何か国語　nan-kakokugo　U10-SP1
なんじ　何時　nan-ji　U10-SP5
なんじから　何時から　nan-ji kara　U12-SP3
なんですか。　何ですか。　Nan desu ka.　U3-SP2
なんでも　何でも　nandemo　U10-SP3
なんにん　何人　nan-nin　U12-SP3
なんぶ　何部　nan-bu　U12-SP3
なんまい　何枚　nan-mai　U12-SP3
なんようび　何曜日　nan-yōbi　U8-SP2

に

にがて　苦手　[Na-adj.]　nigate　U1-SP1
にぎやか　にぎやか　[Na-adj.]　nigiyaka　U8-SP3
にく　肉　[N.]　niku　U10-SP2
にじ　虹　[N.]　niji　U5-SP2
(～)にする　(～)にする　(～)ni suru　U8-SP4
(～)にち　(～)日　[N.]　(～)nichi　U1-SP2
にちようび　日曜日　[N.]　nichi-yōbi　U4-SP3
(～)について　(～)について　(～)ni tsuite　U7-SP1
にっこう　日光　[N.]　Nikkō　U10-SP2
にほん　日本　[N.]　Nihon　U2-SP3
にほんご　日本語　[N.]　Nihon-go　U3-SP3
にほんじん　日本人　[N.]　Nihon-jin　U5-SP1
にほんりょうり　日本料理　[N.]　Nihon-ryōri　U8-SP2
にもつ　荷物　[N.]　nimotsu　U2-SP1
にゅうかん　入管　[N.]　nyūkan　U2-SP2
(～)にん　(～)人　(～)nin　U10-SP1
にんき　人気　[N.]　ninki　U7-SP3

ぬ

ぬぐ　脱ぐ　[V.(1)]　nugu　U6-SP4

ね

ねくたい　ネクタイ　[N.]　nekutai　U13-SP1
ねつ　熱　[N.]　netsu　U5-SP2
ねっくれす　ネックレス　[N.]　nekkuresu　U13-SP1
ねっと　ネット　[N.]　netto　U11-SP1
ねぼうする　寝坊する　[V.(3)]　nebō-suru　U11-SP4
ねる　寝る　[V.(2)]　neru　Verb Groups
(～)ねん　(～)年　(～)nen　U3-SP3
ねん(に)　年(に)　nen(ni)　U12-SP3
(～)ねんかん　(～)年間　(～)nen-kan　U3-SP3
(～)ねんご　(～)年後　(～)nen-go　U10-SP4
(～)ねんはん　(～)年半　(～)nen-han　U3-SP3
(～)ねんまえ　(～)年前　(～)nen-mae　U4-SP3

の

のーとぱそこん　ノートパソコン　nōto-pasokon　U14-SP2
のこる　残る　[V.(1)]　nokoru　U11-SP3
のぼる　登る　[V.(1)]　noboru　Verb Groups
のみかい　飲み会　[N.]　nomi-kai　U6-SP2
のみすぎる　飲みすぎる　[V.(2)]　nomi-sugiru　U6-SP3
のみにいく　飲みに行く　[V.(1)]　nomi ni iku　U5-SP3
のみほうだい　飲み放題　[N.]　nomi-hōdai　U7-SP2
のみもの　飲み物　[N.]　nomimono　U2-SP1
のむ　飲む　[V.(1)]　nomu　Verb Groups
(くすりを)のむ　(薬を)飲む　[V.(1)]　(kusuri o)nomu　U5-SP4
のる　乗る　[V.(1)]　noru　Verb Groups
のるうぇー　ノルウェー　[N.]　Noruwē　U9-SP3

は

は　歯　[N.]　ha　U3-SP3
ばーじょん　バージョン　[N.]　bājon　U7-SP3
ぱーてぃー　パーティー　[N.]　pāthī　U1-SP2
ぱーとなー　パートナー　[N.]　pātonā　U8-SP3
ばーべきゅー　バーベキュー　[N.]　bābekyū　U1-SP2
はい　はい　hai　U1-SP1
はいる　入る　[V.(1)]　hairu　Verb Groups
(ちーむに)はいる　(チームに)入る　[V.(1)]　(chīmu ni)hairu　U2-SP3
(なかに)はいる　(中に)入る　[V.(1)]　(naka ni)hairu　U3-SP1
(れいぞうこに)はいる　(冷蔵庫に)入る　[V.(1)]　(reizōko ni)hairu　U11-SP3
(うちあわせが)はいる　(打ち合わせが)入る　[V.(1)]　(uchiawase ga)hairu　U14-SP2
(おんせんに)はいる　(温泉に)入る　[V.(1)]　(onsen ni)hairu　U5-SP1
(おふろに)はいる　(お風呂に)入る　[V.(1)]　(o-furo ni)hairu　U4-SP3
(かいぎが)はいる　(会議が)入る　[V.(1)]　(kaigi ga)hairu　U11-SP4
(ほけんに)はいる　(保険に)入る　[V.(1)]　(hoken ni)hairu　U6-SP4
(ぷーるに)はいる　(プールに)入る　[V.(1)]　(pūru ni)hairu　U1-SP3
(かびが)はえる　(カビが)生える　[V.(2)]　(kabi ga)haeru　U14-SP2
(ねつを)はかる　(熱を)測る　[V.(1)]　(netsu o)hakaru　U5-SP2

(すりっぱを)はく　(スリッパを)はく　[V. (1)]　(surippa o)haku　U3-SP1
はじまる　始まる　[V. (1)]　hajimaru　U1-SP3
はじめて　初めて　hajimete　U10-SP2
はじめる　始める　[V. (2)]　hajimeru　U7-SP2
ばしょ　場所　[N.]　basho　U5-SP2
はしる　走る　[V. (1)]　hashiru　Verb Groups
ばす　バス　[N.]　basu　U5-SP2
ぱそこん　パソコン　[N.]　pasokon　U3-SP4
はたらく　働く　[V. (1)]　hataraku　U2-SP3
ばっぐ　バッグ　[N.]　baggu　U8-SP4
ばってりー　バッテリー　[N.]　batterī　U14-SP2
はつもうで　初もうで　[N.]　hatsumōde　U5-SP3
はで　派手　[Na-adj.]　hade　U6-SP3
はな　花　[N.]　hana　U2-SP1
はなしごえ　話し声　[N.]　hanashi-goe　U9-SP3
はなしすぎる　話しすぎる　[V. (2)]　hanashi-sugiru　U6-SP3
はなす　話す　[V. (1)]　hanasu　Verb Groups
はなせる　話せる　[V. (2)]　hanaseru　U10-SP1
はは　母　[N.]　haha　U13-SP1
はやい　早い　[I-adj.]　hayai　U8-SP1
はやく　早く　hayaku　U3-SP4
はやっている　はやっている　[V. (2)]　hayatte-iru　U7-SP3
はやめに　早めに　hayame ni　U6-SP2
はらう　払う　[V. (1)]　harau　U2-SP2
はらじゅく　原宿　[N.]　Harajuku　U8-SP2
ぱり　パリ　[N.]　Pari　U4-SP3
はりうっど・すたー　ハリウッド・スター　[N.]　Hariuddo-sutā　U5-SP1
はる　春　[N.]　haru　U5-SP4
はわい　ハワイ　[N.]　Hawai　U7-SP4
ばん　晩　ban　U2-SP4
ぱん　パン　[N.]　pan　U14-SP2
ぱんけーき　パンケーキ　[N.]　pan-kēki　U7-SP3
ばんごはん　晩ご飯　[N.]　ban-gohan　U8-SP5
ぱんふれっと　パンフレット　[N.]　panfuretto　U3-SP2

ひ

ぴあの　ピアノ　[N.]　piano　U1-SP1
びーる　ビール　[N.]　bīru　U2-SP1
ぴかそ　ピカソ　[N.]　Pikaso　U9-SP3
ひきだし　引き出し　[N.]　hikidashi　U7-SP5
(ぴあのを)ひく　(ピアノを)弾く　[V. (1)]　(piano o)hiku　U1-SP1
(かぜを)ひく　(風邪を)ひく　[V. (1)]　(kaze o)hiku　U5-SP4
(せが)ひくい　(背が)低い　[I-adj.]　(se ga)hikui　U8-SP2
ひこうき　飛行機　[N.]　hikōki　U1-SP3
びざ　ビザ　[N.]　biza　U2-SP2
ぴざ　ピザ　[N.]　piza　U8-SP3
ひさしぶりですね。　久しぶりですね。　Hisashiburi desu ne.　U4-SP1
びじねす　ビジネス　[N.]　bijinesu　U7-SP2
びじゅつかん　美術館　[N.]　bijutsukan　U7-SP3
びっくりする　びっくりする　[V. (3)]　bikkuri-suru　U13-SP2
ひっこし　引っ越し　[N.]　hikkoshi　U6-SP2
ひっこしする　引っ越しする　[V. (3)]　hikkoshi-suru　U14-SP1
ひっこす　引っ越す　[V. (1)]　hikkosu　U7-SP2
びでおでっき　ビデオデッキ　[N.]　bideo-dekki　U9-SP3
ひと　人　[N.]　hito　U7-SP1
ひどいこと　ひどいこと　[N.]　hidoi-koto　U12-SP2
ひとりで　一人で　hitori de　U2-SP3
ひま　ひま　[Na-adj.]　hima　U5-SP3
びょういん　病院　[N.]　byōin　U5-SP2
ひらがな　ひらがな　[N.]　hiragana　U3-SP2
ひるごはん　昼ご飯　[N.]　hiru-gohan　U2-SP3
ひろい　広い　[I-adj.]　hiroi　U8-SP3

ふ

ふぁいる　ファイル　[N.]　fairu　U7-SP5
ふぃぎゅあ　フィギュア　[N.]　figyua　U2-SP2
ふぃんらんど　フィンランド　[N.]　Finrando　U9-SP3
ぷーる　プール　[N.]　pūru　U1-SP3
ふく　服　[N.]　fuku　U6-SP3
(たなを)ふく　(棚を)ふく　[V. (1)]　(tana o)fuku　U14-SP1
ふくざつ　複雑　[Na-adj.]　fukuzatsu　U8-SP5
ふじさん　富士山　[N.]　Fujisan　U2-SP3
ふたり　二人　[N.]　futari　U7-SP1
ぶちょう　部長　[N.]　buchō　U7-SP3
ふゆやすみ　冬休み　[N.]　fuyu-yasumi　U1-SP2
ぶらじる　ブラジル　[N.]　Burajiru　U5-SP2
ぶらぶらする　ぶらぶらする　[V. (3)]　burabura-suru　U5-SP3
ふられる　ふられる　[V. (2)]　furareru　U12-SP2
ぷらん　プラン　[N.]　puran　U8-SP1
ふらんす　フランス　[N.]　Furansu　U8-SP2
ふらんすじん　フランス人　[N.]　Furansu-jin　U7-SP4
ふりー　フリー　[N.]　furī　U8-SP1
ぷりんとあうとする　プリントアウトする　[V. (3)]　purinto-auto-suru　U11-SP2

ふる　振る　[V. (1)]　furu　Verb Groups
(あめが)ふる　(雨が)降る　[V. (1)]　(ame ga)furu　U1-SP3
ふるい　古い　[I-adj.]　furui　U1-SP1
ぶるー　ブルー　[N.]　burū　U7-SP3
ぶるーれい　ブルーレイ　[N.]　Burūrei　U9-SP3
ぷれーやー　プレーヤー　[N.]　purēyā　U14-SP2
ぶれすれっと　ブレスレット　[N.]　buresuretto　U13-SP1
ぷれぜん　プレゼン　[N.]　purezen　U3-SP3
ぷれぜんと　プレゼント　[N.]　purezento　U2-SP1
ぷろじぇくたー　プロジェクター　[N.]　purojiekutā　U10-SP1
ぷろじぇくと　プロジェクト　[N.]　purojiekuto　U7-SP6
ふろんと　フロント　[N.]　furonto　U13-SP2
(〜)ふん　(〜)分　(〜)fun　U6-SP2

へ

へえ　へえ　hē　U7-SP3
べじたりあん　ベジタリアン　[N.]　bejitarian　U7-SP2
ぺっと　ペット　[N.]　petto　U5-SP1
へや　部屋　[N.]　heya　U2-SP1
ぺらぺら　ペラペラ　[Na-adj.]　perapera　U5-SP4
べんきょう　勉強　[N.]　benkyō　U2-SP3
べんきょうする　勉強する　[V. (3)]　benkyō-suru　Verb Groups
べんごし　弁護士　[N.]　bengoshi　U7-SP6
べんり　便利　[Na-adj.]　benri　U8-SP1

ほ

(〜の)ほうが　(〜の)ほうが　(〜no)hōga　U7-SP5
ぼうねんかい　忘年会　[N.]　bōnen-kai　U7-SP4
ぽえむ　ポエム　[N.]　poemu　U13-SP2
ほおづえ　ほおづえ　[N.]　hōzue　U6-SP3
ほーむすていする　ホームステイする　[V. (3)]　hōmu-sutei-suru　U13-SP4
ほけん　保険　[N.]　hoken　U6-SP2
ほぞんする　保存する　[V. (3)]　hozon-suru　U7-SP5
ほてる　ホテル　[N.]　hoteru　U4-SP4
ぼりゅーむ　ボリューム　[N.]　boryūmu　U9-SP3
ほわいとぼーど　ホワイトボード　[N.]　howaito-bōdo　U9-SP3
ほん　本　[N.]　hon　U1-SP3
ほんや　本屋　[N.]　hon-ya　U11-SP3
ほんやくする　翻訳する　[V. (3)]　honyaku-suru　U13-SP4

ま

まいあさ　毎朝　maiasa　U9-SP1
まいご　迷子　[N.]　maigo　U13-SP3
まいにち　毎日　mainichi　U8-SP5
まえ　前　[N.]　mae　U6-SP3
まじめ　まじめ　[Na-adj.]　majime　U7-SP4
まじめに　まじめに　majime ni　U12-SP2
(〜)ましょう　(〜)ましょう　(〜)mashō　U2-SP2
また　また　mata　U3-SP1
まだ　まだ　mada　U10-SP1
まだです。　まだです。　Mada desu.　U11-SP1
まだ(〜ない)　まだ(〜ない)　mada(〜nai)　U4-SP4
まち　町　[N.]　machi　U5-SP3
まちがえる　間違える　[V. (2)]　machigaeru　U11-SP4
まつ　待つ　[V. (1)]　matsu　Verb Groups
(〜)まで　(〜)まで　(〜)made　U4-SP3
(〜)までに　(〜)までに　(〜)made ni　U10-SP1
まど　窓　[N.]　mado　U11-SP3
まにあう　間に合う　[V. (1)]　maniau　U12-SP1
まふぃん　マフィン　[N.]　mafin　U8-SP4
(みちに)まよう　(道に)迷う　[V. (1)]　(michi ni)mayou　U5-SP1
まんが　マンガ　[N.]　manga　U1-SP1

み

みーてぃんぐ　ミーティング　[N.]　mīthingu　U6-SP2
みえる　見える　[V. (2)]　mieru　U9-SP3
(はを)みがく　(歯を)磨く　[V. (1)]　(ha o)migaku　U3-SP3
(じかんが)みじかい　(時間が)短い　[I-adj.]　(jikan ga)mijikai　U8-SP5
みせ　店　[N.]　mise　U2-SP1
みせのひと　店の人　[N.]　mise no hito　U5-SP2
みせる　見せる　[V. (2)]　miseru　U3-SP2
みち　道　[N.]　michi　U5-SP1
みつかる　見つかる　[V. (1)]　mitsukaru　U5-SP4
みつける　見つける　[V. (2)]　mitsukeru　U13-SP3
みる　見る　[V. (2)]　miru　Verb Groups
(しゅくだいを)みる　(宿題を)みる　[V. (2)]　(shukudai o)miru　U3-SP2
みんな(に)　みんな(に)　minna(ni)　U11-SP2

む

むかえにいく　迎えに行く　[V. (1)]　mukae ni iku　U3-SP3
むかえにくる　迎えに来る　[V. (3)]　mukae ni kuru　U13-SP4
むかえる　迎える　[V. (2)]　mukaeru　U2-SP2
むかし　昔　mukashi　U2-SP3
むし　虫　[N.]　mushi　U9-SP3
むずかしい　難しい　[I-adj.]　muzukashii　U8-SP3
むり　無理　[N.]　muri　U6-SP1
むりする　無理する　[V. (3)]　muri-suru　U6-SP3

むりょう　無料　[N.]　muryō　U10-SP3
むりょうで　無料で　muryō de　U9-SP2
むりょうきかん　無料期間　[N.]　muryō-kikan　U9-SP3

め

(～)めーとる　(～)メートル　[N.]　(～)mētoru　U9-SP1
めーる　メール　[N.]　mēru　U1-SP3
めーるする　メールする　[V.(3)]　mēru-suru　U2-SP1
めにゅー　メニュー　[N.]　menyū　U7-SP2
めんせつ　面接　[N.]　mensetsu　U6-SP3

も

もう　もう　mō　U4-SP4
もういちど　もう一度　mō-ichido　U3-SP1
もうしこみ　申し込み　[N.]　mōshikomi　U4-SP4
もうしこむ　申し込む　[V.(1)]　mōshikomu　U9-SP2
もうしわけない。　申し訳ない。　Mōshiwakenai.　U11-SP2
もうすぐ　もうすぐ　mō-sugu　U7-SP2
もうすこし　もう少し　mō-sukoshi　U1-SP3
もしかしたら　もしかしたら　moshikashitara　U7-SP2
もしもし　もしもし　moshi-moshi　U4-SP1
もちやすい　持ちやすい　[I-adj.]　mochi-yasui　U8-SP4
もつ　持つ　[V.(1)]　motsu　Verb Groups
(にもつを)もつ　(荷物を)持つ　[V.(1)]　(nimotsu o)motsu　U2-SP1
(うんてんめんきょを)もつ　(運転免許を)持つ　[V.(1)]　(untenmenkyo o)motsu　U4-SP2
(くるまを)もつ　(車を)持つ　[V.(1)]　(kuruma o)motsu　U4-SP2
もっていく　持っていく　[V.(3)]　motte-iku　U12-SP1
もっている　持っている　[V.(2)]　motte-iru　U10-SP1
もってくる　持ってくる　[V.(3)]　motte-kuru　Verb Groups
もっと　もっと　motto　U7-SP2
もでる　モデル　[N.]　moderu　U7-SP6
もどってくる　戻ってくる　[V.(3)]　modotte-kuru　U7-SP6
もらう　もらう　[V.(1)]　morau　U10-SP4
(きょかを)もらう　(許可を)もらう　[V.(1)]　(kyoka o)morau　U12-SP1
もんげん　門限　[N.]　mongen　U6-SP2
もんだい　問題　[N.]　mondai　U8-SP5

や

やきゅう　野球　[N.]　yakyū　U2-SP3
やさい　野菜　[N.]　yasai　U13-SP4
やさしい　優しい　[I-adj.]　yasashii　U8-SP3
やさしくする　優しくする　[V.(3)]　yasashiku-suru　U12-SP2
(きゅうりょうが)やすい　(給料が)安い　[I-adj.]　(kyūryō ga)yasui　U4-SP3
(ねだんが)やすい　(値段が)安い　[I-adj.]　(nedan ga)yasui　U6-SP3
やすみ　休み　[N.]　yasumi　U1-SP2
やすみのひ　休みの日　[N.]　yasumi no hi　U5-SP3
やすむ　休む　[V.(1)]　yasumu　Verb Groups
やちん　家賃　[N.]　yachin　U8-SP2
やっきょく　薬局　[N.]　yakkyoku　U13-SP2
やま　山　[N.]　yama　U1-SP3
やめる　辞める　[V.(2)]　yameru　Verb Groups
(さどうを)やる　(茶道を)やる　[V.(1)]　(Sadō o)yaru　U11-SP1
(しゅくだいを)やる　(宿題を)やる　[V.(1)]　(shukudai o)yaru　U4-SP4

ゆ

ゆうびん　郵便　[N.]　yūbin　U3-SP1
ゆうびんきょく　郵便局　[N.]　yūbinkyoku　U2-SP2
ゆうびんやさん　郵便屋さん　[N.]　yūbin-ya-san　U13-SP4
ゆうめい　有名　[Na-adj.]　yūmei　U7-SP3
ゆうめいじん　有名人　[N.]　yūmei-jin　U5-SP1
ゆき　雪　[N.]　yuki　U7-SP1
(せきを)ゆずる　(席を)ゆずる　[V.(1)]　(seki o)yuzuru　U13-SP3
ゆっくり　ゆっくり　yukkuri　U3-SP1
ゆっくりする　ゆっくりする　[V.(3)]　yukkuri-suru　U3-SP1
ゆびわ　指輪　[N.]　yubiwa　U13-SP1

よ

ようじ　用事　[N.]　yōji　U11-SP4
よが　ヨガ　[N.]　yoga　U11-SP1
よかったです。　よかったです。　Yokatta desu.　U6-SP4
よかったですね。　よかったですね。　Yokatta desu ne.　U13-SP3
よく　よく　yoku　U4-SP1
よく(～ない)　よく(～ない)　yoku(～nai)　U7-SP3
よくなる　よくなる　[V.(1)]　yoku-naru　U12-SP1
よこ　横　[N.]　yoko　U5-SP2
よてい　予定　[N.]　yotei　U6-SP2
よぶ　呼ぶ　[V.(1)]　yobu　Verb Groups
よむ　読む　[V.(1)]　yomu　Verb Groups
よやく　予約　[N.]　yoyaku　U4-SP4
よやくする　予約する　[V.(3)]　yoyaku-suru　U2-SP1

よやくできる　予約できる　[V. (2)]　yoyaku-dekiru　U10-SP1
よる　夜　yoru　U4-SP3
よるおそく　夜遅く　yoru-osoku　U6-SP3

ら

らーめん　ラーメン　[N.]　rāmen　U2-SP3
らいげつ　来月　raigetsu　U7-SP2
らいしゅう　来週　raishū　U2-SP2
らいねん　来年　rainen　U14-SP1
らじお　ラジオ　[N.]　rajio　U9-SP3

り

りこんする　離婚する　[V. (3)]　rikon-suru　U7-SP3
りゅうがくする　留学する　[V. (3)]　ryūgakū-suru　U7-SP3
りょう　寮　[N.]　ryō　U6-SP2
りょうしゅうしょ　領収書　[N.]　ryōshū-sho　U10-SP4
りょうしん　両親　[N.]　ryōshin　U2-SP2
りょうり　料理　[N.]　ryōri　U9-SP1
りょうりする　料理する　[V. (3)]　ryōri-suru　U1-SP1
りょかん　旅館　[N.]　ryokan　U8-SP1
りょこう　旅行　[N.]　ryokō　U1-SP3
りょこうする　旅行する　[V. (3)]　ryokō-suru　U2-SP3
りんご　りんご　[N.]　ringo　U13-SP2

る

るーむめーと　ルームメート　[N.]　rūmu-mēto　U8-SP3

れ

れいぞうこ　冷蔵庫　[N.]　reizōko　U11-SP3
れこーど　レコード　[N.]　rekōdo　U1-SP1
れしーと　レシート　[N.]　reshīto　U12-SP1
れすとらん　レストラン　[N.]　resutoran　U2-SP1
れっすん　レッスン　[N.]　ressun　U6-SP2
れぽーと　レポート　[N.]　repōto　U4-SP4
れんしゅうする　練習する　[V. (3)]　renshū-suru　U12-SP1
れんらくさき　連絡先　[N.]　renraku-saki　U3-SP1
れんらくする　連絡する　[V. (3)]　renraku-suru　U3-SP2

ろ

ろんどん　ロンドン　[N.]　Rondon　U7-SP6

わ

わいん　ワイン　[N.]　wain　U2-SP4
わかい　若い　[I-adj.]　wakai　U7-SP3
わかりました。　わかりました。　Wakarimashita.　U1-SP3
わかる　わかる　[V. (1)]　wakaru　Verb Groups
(じゅぎょうが)わかる　(授業が)わかる　[V. (1)]　(jugyō ga)wakaru　U7-SP4
わかりません。　わかりません。　Wakarimasen.　U10-SP4
わかれる　別れる　[V. (2)]　wakareru　U1-SP2
わさび　わさび　[N.]　wasabi　U2-SP4
わしょく　和食　[N.]　washoku　U8-SP1
(しゅくだいを)わすれる　(宿題を)忘れる　[V. (2)]　(shukudai o)wasureru　U6-SP1
わすれる　忘れる　[V. (2)]　wasureru　U10-SP4
わたし　私　[N.]　watashi　U2-SP1
わたす　渡す　[V. (1)]　watasu　U11-SP2
(ぐあいが)わるい　(具合が)悪い　[I-adj.]　(guai ga)warui　U7-SP6
わるくち　悪口　[N.]　warukuchi　U6-SP3

● 著者紹介 ●

Coto Language Academy　（英語　http://cotoacademy.com/　日本語　http://cotoacademy.jp/）

日本在住の方を中心に、豊富なオリジナル教材を用いて「生活の質をあげるコミュニケーションのための日本語」を教える。８人までの少人数グループレッスンで、会話力をしっかり身につけさせるインタラクティブなレッスンが特徴。

渡部 由紀子　（WATANABE Yukiko）

Coto Language Academy代表。バンコクで日本語教師、（株）リクルートでの営業職を経て、ボランティア日本語グループWAIWAIの同志と共に2000年に日本語学校事業を開始。2014年よりCoto Japanese Academyへ。

左 弥寿子　（HIDARI Yasuko）

Coto Language Academy講師兼運営管理スタッフ。シンクタンク勤務を経て2004年より現職。スコットランドの大学院にて「産業としてのロック音楽」を研究。好きな言葉はソフトランディング。趣味はヨガ。

臼井 紫瑞子　（USUI Shizuko）

Coto Language Academy シニアインストラクター。ユニ・チャーム（株）での営業・営業教育、米国流通視察コーディネート会社勤務等を経た後、ボランティアで始めた日本語教育の世界へ。インドネシアから帰国後、2007年Cotoの前身であるいいだばし日本語学院講師となり、現在に至る。

協力者： Anthony Joh、左 江里子、左 文江、下牧 美刈、Samuel Bleakly
Coto Language Academyのスタッフ・講師・学生のみなさん

NIHONGO FUN & EASY Ⅱ　Basic Grammar for Conversation

2018年 2月 6日　初版第1刷発行
2019年 3月14日　初版第2刷発行

著者	渡部 由紀子、左 弥寿子、臼井 紫瑞子
翻訳	Yvonne Chang
翻訳校正	Michael Drew Eames/Red Wind
イラスト	平塚 徳明
装丁	アスク出版デザイン部
本文デザイン·DTP	株式会社明昌堂
発行人	天谷 修身
発行	株式会社アスク出版　〒162-8558 東京都新宿区下宮比町2-6
	TEL 03-3267-6864　FAX 03-3267-6867　http://www.ask-books.com/
印刷・製本	株式会社光邦

Printed in Japan　ISBN 978-4-86639-144-1

アンケートにご協力ください

ご協力いただいた方には抽選で記念品を進呈いたします。
We will provide a token of our gratitude for your cooperation with the survey.

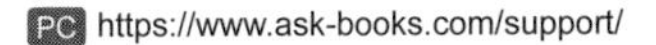

NIHONGO FUN & EASY Ⅱ
Basic Grammar for Conversation

Answers, Scripts & Translations

Verb Groups

Let's Practice! ▶Text p. 21

Group 1

会う、行く、怒る、呼ぶ、休む、貸す、入る、持つ、帰る、登る、急ぐ、切る、手伝う、読む、いる(need)、ある

Group 2

おりる、着る、寝る、辞める、いる(be)、落ちる、借りる

Group 3

買い物する、連れてくる

UNIT 1

Let's Practice! ▶Text p. 25

始まる、プールに入る、乗る、会う、雨が降る、絵を描く、帰る、歌う、泳ぐ、体を動かす、着ていく、試験を受ける、出かける、集める、山をおりる、別れる、会社を辞める、髪形を変える、料理をする、連れてくる

Sentence Pattern 1 ▶Text p. 26

A ①自転車に乗る ②髪形を変える ③マンガを読む ④ピアノを弾く ⑤古いレコードを集める

B ①歌を歌う ②泳ぐ ③料理する ④お酒を飲む ⑤体を動かす

Sentence Pattern 2 ▶Text p. 28

A ①MBAを取る ②会社を辞める ③彼と別れる、彼女と別れる ④試験を受ける ⑤髪を切る

B ①今度の休み ②夏休み ③冬休み ④会社を辞めて ⑤国に帰って

Sentence Pattern 3 ▶Text p. 30

A ①会議が始まる／資料をコピーします ②買い物に行く／お金をおろします ③国に帰る／お土産を買います ④出かける／天気予報をチェックします ⑤ご飯を食べる／手を洗います

---

①会議が始まる／資料をコピーしました ②買い物に行く／お金をおろしました ③国に帰る／お土産を買いました ④出かける／天気予報をチェックしました ⑤ご飯を食べる／手を洗いました

B ①プールに入る ②飛行機に乗る ③彼に会う、彼女に会う ④国に帰る ⑤旅行に行く

Listening ▶Text p. 32

Q1 2 **Q2** 1 **Q3** 3 **Q4** 1

Q1

F：今日は何時にうちに帰りますか。
M：まだわかりません。図書館で夜まで勉強するつもりです。
F：そうですか。
M：帰るまえに電話します。
F：わかりました。

F: What time will you come home today?
M: I don't know yet. I plan to study until the evening in the library.

F : I see.
M: I'll call you before I go home.
F : Okay.

Q2

M：料理をするのが好きですか。
F：いいえ、あまり。マイクさんは？
M：私もあまり。でも、お皿を洗うのは好きです。あと、野菜を切るのも好きです。
F：私はそれもあまり…。

M: Do you like to cook?
F : Not much. How about you, Mike-san?
M: Me neither. But I like to wash dishes. And I like to cut vegetables too.
F : Oh, I don't like that either.

Q3

M：会議が始まるまえに、部長に相談するつもりです。
F：そうですか。
M：でも、部長がいないんです。
F：岡村さんと会議室にいましたよ。
M：そうですか。

M: I plan to talk to my boss before the meeting starts.
F : I see.
M: But my boss isn't here.
F : He was in the meeting room with Okamura-san.
M: Is that so?

Q4

F：近藤さんは歌が上手ですね。
M：いいえ、それほどでも。キムさんもどうぞ。
F：はい。韓国語の歌はありますか。
M：ええ、たくさんありますよ。

F : Kondō-san, you sing so well.
M: No, I don't. Please sing, Kim-san.
F : Are there any Korean songs?
M: Yes, there are many.

Shadowing ▶ Text p. 32

F : What do you usually do on your day off?
M: I often ride my bicycle.
F : Oh, you like to ride your bike?
M: Yes, I love it. What do you do, Satō-san?
F : I often go to karaoke. I like to sing karaoke.
M: Really? You must be good.
F : Not really, but I love to sing. I plan to go sing at karaoke in Shinjuku this weekend.
M: That's nice.
F : Would you like to join me this weekend, Mark-san?
M: Yes, I'd love to.
F : Then, I will call you when I leave for karaoke.

UNIT 2

Let's Practice! ▶ Text p. 35

荷物を持ちます、手伝います、貸します、席をかわります、払います、取ります、お金をおろします、遊びます、働きます、犬を飼います、迎えに行きます、電気をつけます、閉めます、開けます、片付けます、コショウをかけます、わさびをつけます、予約します、注文します、買ってきます

Sentence Pattern 1 ▶ Text p. 36

A ①何か手伝い ②飲み物を買ってき ③電気をつけ ④ドアを閉め ⑤窓を開け

B ①席をかわり ②メールで送り ③お茶を入れ ④部屋を片付け ⑤ケーキを切り

Sentence Pattern 2 ▶ Text p. 38

A ①大使館／ビザを取り ②入管／ビザの更新をし ③渋谷／飲み ④友だちのうち／

遊(あそ)び　⑤スーパー／くだものを買(か)い

B　①コンビニ／電気代(でんきだい)を払(はら)い　②郵便局(ゆうびんきょく)／荷物(にもつ)を出(だ)し　③区役所(くやくしょ)／住民票(じゅうみんひょう)を取(と)り　④銀行(ぎんこう)／お金(かね)をおろし　⑤秋葉原(あきはばら)／フィギュアを探(さが)し

Sentence Pattern 3 ▶ Text p. 40

A　①温泉(おんせん)に行(い)き　②一人(ひとり)で旅行(りょこう)し　③日本(にほん)で働(はたら)き　④犬(いぬ)が飼(か)い　⑤富士山(ふじさん)に登(のぼ)り

---

①温泉(おんせん)に行(い)き　②一人(ひとり)で旅行(りょこう)し　③日本(にほん)で働(はたら)き　④犬(いぬ)は飼(か)い　⑤富士山(ふじさん)に登(のぼ)り

B　①カラオケで何(なに)が歌(うた)い／英語(えいご)の歌(うた)が歌(うた)い　②デートでどんな映画(えいが)が見(み)／コメディーが見(み)　③明日(あした)どこに行(い)き／水族館(すいぞくかん)に行(い)き　④いつ旅行(りょこう)し／次(つぎ)の休(やす)みに旅行(りょこう)し　⑤誰(だれ)に会(あ)い／昔(むかし)の友(とも)だちに会(あ)い

Sentence Pattern 4 ▶ Text p. 42

A　①ゲームをし　②お酒(さけ)を飲(の)み　③寝(ね)　④歌(うた)が歌(うた)い　⑤歩(ある)き

B　①働(はたら)き　②運動(うんどう)し　③コショウをかけ　④わさびをつけ　⑤カラオケで歌(うた)い

Listening ▶ Text p. 44

Q1 2　**Q2** 3　**Q3** 2　**Q4** 3

Q1

M：佐藤(さとう)さん、お出(で)かけですか。

F：ちょっとコンビニにお金(かね)をおろしに行(い)きます。

M：そうですか。いってらっしゃい。

F：いってきます。

M: Satō-san, are you going out?

F : I'm going to the convenience store to withdraw money.

M: I see. See you later.

F : See you later.

Q2

F：どうしたんですか。

M：今日(きょう)は疲(つか)れました。運動(うんどう)しすぎました。

F：そうですか。大丈夫(だいじょうぶ)ですか。

M：ええ、今晩(こんばん)はゆっくり休(やす)みます。

F : What happened?

M: I'm tired today. I exercised too much.

F : I see. Are you okay?

M: Yes. I will rest well tonight.

Q3

F：吉田(よしだ)さん、学生(がくせい)のとき、外国(がいこく)に行(い)きましたか。

M：ええ、一人(ひとり)でタイに行(い)きました。よかったですよ。

F：へえ、私(わたし)も一人(ひとり)で旅行(りょこう)したかったです。

M：そうですか。

F : Yoshida-san, did you travel abroad when you were a student?

M: Yes, I went to Thailand on my own. It was a good experience.

F : Really? I wanted to travel on my own, too.

M: Is that so?

Q4

M：ちょっと休(やす)みましょうか。

F：冷蔵庫(れいぞうこ)にプリンがありますよ。

M：いいですね。お茶(ちゃ)を入(い)れましょうか。

F：ええ、お願(ねが)いします。

M: Let's take a break.

F : There is pudding in the refrigerator.

M: Great! Shall I prepare some tea?

F : Yes, thank you.

Shadowing ▶ Text p.44

F_1: I'm holding a party next Saturday. Tanaka-san, won't you join us?
F_2: Is that okay?
F_1: Of course, please join us.
F_2: Then, shall I bring over some drinks?
F_1: Yes please. Thank you.
F_2: Good.
(Monday)
F_2: Thank you for coming last weekend.
F_1: Thank you for inviting me. It was a lot of fun.
F_2: Yes, but I drank a bit too much.
F_1: Haha! Is that so?
F_2: Yes, but let's party together again.
F_1: Yes, definitely.

UNIT 3

Let's Practice! ▶ Text p.47

言(い)って、急(いそ)いで、送(おく)って、待(ま)って、飲(の)んで、座(すわ)って、書(か)いて、貸(か)して、会(あ)って、歯(は)を磨(みが)いて、たばこを吸(す)って、迎(むか)えに行(い)って、教(おし)えて、取(と)りかえて、会議(かいぎ)に出(で)て、見(み)せて、来(き)て、連(つ)れてきて、連絡(れんらく)して、卒業(そつぎょう)して

Sentence Pattern 1 ▶ Text p.48

A ①いっしょに来(き)て ②先(さき)に行(い)って ③漢字(かんじ)を読(よ)んで ④あとでメールして ⑤ちょっと急(いそ)いで

B ①カタカナで書(か)いて ②連絡先(れんらくさき)を教(おし)えて ③ちょっと待(ま)って ④郵便(ゆうびん)で送(おく)って ⑤しょうゆを取(と)って

Sentence Pattern 2 ▶ Text p.50

A ①パンフレットを会社(かいしゃ)に送(おく)って ②トイレを貸(か)して ③この漢字(かんじ)を読(よ)んで ④もう一度(いちど)言(い)って ⑤宿題(しゅくだい)をみて

B ①新(あたら)しいのと取(と)りかえて ②コピーして ③データをメールで送(おく)って ④あと1週間(しゅうかん)待(ま)って ⑤近藤(こんどう)さんに連絡(れんらく)して

Sentence Pattern 3 ▶ Text p.52

A ①友(とも)だちに会(あ)って／映画(えいが)を見(み)ます ②国(くに)に帰(かえ)って／仕事(しごと)を探(さが)します ③会議(かいぎ)に出(で)て／プレゼンをします ④歯(は)を磨(みが)いて／寝(ね)ます ⑤ケーキを買(か)って／帰(かえ)ります

---

①友(とも)だちに会(あ)って／映画(えいが)を見(み)ました ②国(くに)に帰(かえ)って／仕事(しごと)を探(さが)しました ③会議(かいぎ)に出(で)て／プレゼンをしました ④歯(は)を磨(みが)いて／寝(ね)ました ⑤ケーキを買(か)って／帰(かえ)りました

B-1 ①子(こ)どもを迎(むか)えに行(い)って／ご飯(はん)を作(つく)ります ②カフェに行(い)って／少(すこ)し勉強(べんきょう)します

B-2 ①昨日(きのう)の授業(じゅぎょう)のあと ②この間(あいだ)の休(やす)み

Sentence Pattern 4 ▶ Text p.54

A ①トイレに行(い)って ②英語(えいご)で話(はな)して ③充電器(じゅうでんき)を借(か)りて ④今晩(こんばん)、電話(でんわ)して ⑤ちょっと聞(き)いて

B ①写真(しゃしん)を撮(と)って ②ここに座(すわ)って ③中(なか)に入(はい)って ④ここに荷物(にもつ)を置(お)いて ⑤このパソコンを使(つか)って

Listening ▶ Text p.56

Q1 3 **Q2** 2 **Q3** 3 **Q4** 2

Q1

F：ニックさん、昨日(きのう)クラスのあと、何(なに)をしましたか。

M：友(とも)だちと会(あ)ってご飯(はん)を食(た)べました。エミ

リーさんは？

F：私(わたし)はうちに帰(かえ)って、宿題(しゅくだい)をしましたよ。

M：いい学生(がくせい)ですね。

F : Nick-san, what did you do after class yesterday?
M: I met a friend and we went out to eat. What did you do, Emily-san?
F : I went home and did my homework.
M: You're a good student.

Q2

F：こちらにお名前(なまえ)とご住所(じゅうしょ)を書(か)いていただけませんか。

M：えっ、日本語(にほんご)でですか。

F：お名前(なまえ)はアルファベットで書(か)いてください。

M：わかりました。

F : Please write your name and address here.
M: Um, in Japanese?
F : Please write your name in English letters.
M: Okay.

Q3

M：鈴木(すずき)さん、この資料(しりょう)をABCカンパニーに送(おく)ってください

F：PDFで送(おく)ってもいいですか。

M：あ、郵便(ゆうびん)で送(おく)ってください。

F：はい、わかりました。

M: Suzuki-san, please send these documents to ABC Company.
F : Can I send them as PDF files?
M: Oh, please send them by mail.
F : Okay.

Q4

M：今日(きょう)はお邪魔(じゃま)しました。

F：いいえ、どういたしまして。気(き)をつけて帰(かえ)ってくださいね。

M：はい、今度(こんど)はぜひうちにも遊(あそ)びに来(き)てくださいね。

F：ありがとうございます。

M: Thank you for inviting me today.
F : My pleasure. Be careful on your way home.
M: Yes I will be. Please come to my house next time.
F : Thank you.

Shadowing ▶ Text p. 56

F : Can I talk to you for a minute now?
M: I have a meeting now, but what is it?
F : It's about tomorrow's presentation.
M: Ah, sorry. Can we talk later?
F : Okay. Then, could you check the data later?
M: All right, I understand. I'll check it later.
F : Sorry for the trouble. Thank you.
M: Okay.

UNIT 4

Let's Practice! ▶ Text p. 58

ご飯(はん)を作(つく)って、聞(き)いて、持(も)って、頼(たの)んで、洗(あら)って、働(はたら)いて、住(す)んで、知(し)って、通(かよ)って、お風呂(ふろ)に入(はい)って、宿題(しゅくだい)をやって、資料(しりょう)を直(なお)して、レポートを出(だ)して、待(ま)って、買(か)って、話(はな)して、読(よ)んで、アイロンをかけて、勤(つと)めて、決(き)めて、片付(かたづ)けて、食(た)べて、寝(ね)て、結婚(けっこん)して、更新(こうしん)して、掃除(そうじ)して、電話(でんわ)して、注文(ちゅうもん)して、来(き)て

Sentence Pattern 1 ▶ Text p. 60

A ①友(とも)だちと話(はな)して ②部屋(へや)を片付(かたづ)けて ③お客(きゃく)さんを待(ま)って ④お皿(さら)を洗(あら)って ⑤本(ほん)を読(よ)んで

B ①部屋(へや)を掃除(そうじ)して ②カラオケをして ③アイロンをかけて ④ご飯(はん)を作(つく)って ⑤渋谷(しぶや)で飲(の)んで

Sentence Pattern 2 ▶ Text p. 62

A ①ABC銀行に勤めて ②エンジニアをして ③埼玉に住んで ④結婚して ⑤運転免許を持って

B ①お仕事は何をしていますか ②どこで働いていますか ③結婚していますか ④車を持っていますか ⑤このレストランを知っていますか

Sentence Pattern 3 ▶ Text p. 64

A ①昨日の夜10時ごろ／電話して ②昨日の夜８時ごろ／お風呂に入って ③５年前／アメリカの会社に勤めて ④２年前／韓国で働いて ⑤先月まで／ジムに通って

B ①先週の日曜日 ②去年の今ごろ ③今朝６時ごろ ④３年前の今ごろ ⑤日本に来るまえ

Sentence Pattern 4 ▶ Text p. 66

A ①チケットを買って ②ビザを更新して ③レポートを出して ④予約をキャンセルして ⑤スケジュールを決めて

B ①宿題をやりました／やりました／やっていません／やります ②本を注文しました／しました／していません／します ③資料を作りました／作りました／作っていません／作ります ④資料を直しました／直しました／直していません／直します ⑤JLPTの申し込みをしました／しました／していません／します

Listening ▶ Text p. 68

Q1 3 **Q2** 3 **Q3** 1 **Q4** 1

Q1

F：クリスさんは運転免許を持っていますか。

M：はい、持っています。でも、東京では運転しません。

F：どうしてですか。

M：あまり道を知りません。それに地下鉄は便利ですから。

F : Chris-san, do you have a driver's license?
M: Yes, I do. But I don't drive in Tokyo.
F : Why is that?
M: I don't know the roads too well. Besides the subway is convenient.

Q2

M：昨日、地震がありましたね。

F：ええ、こわかったですね。どこにいましたか。

M：うちで寝ていました。太田さんは？

F：私はビルの20階にいました。

M: Did you feel the earthquake yesterday?
F : Yes, it was frightening. Where were you?
M: I was sleeping at home. Where were you, Ōta-san?
F : I was on the 20th floor of a building.

Q3

M：たくさん漢字を知っていますね。

F：ええ。大学生のとき、中国語を勉強していましたから。

M：そうですか。まだ忘れていないんですね。

F：ええ。たくさん勉強しましたからね。

A : You know a lot of kanji.
B : Yes, because I studied Chinese as a college student.

A : I see. You haven't forgotten them.
B : Yes, because I did a lot of studying.

Q4

F：もう、会議室を予約しましたか。

M：いいえ、まだしていません。

F：じゃあ、よかった。会議はキャンセルになりました。

M：そうですか。

F : Did you reserve the meeting room?
M: No, I haven't yet.
F : Good. The meeting was cancelled.
M: I see.

Shadowing ▶ Text p. 68

F : What do you do for a living?
M: I'm a banker.
F : I see. I also work at a bank. Before that, I used to work in sales at an insurance company.
M: I see. I joined my bank right after graduating from university.
F : I see. Are you busy every day?
M: Yes, I usually work until about 9 o'clock every day.
F : You work really hard.
M: Oh, have you already eaten this?
F : No, I haven't.
M: Then, let's eat.

UNIT 5

Let's Practice! ▶ Text p. 73

登った、急いだ、学校をサボった、習った、泊まった、道に迷った、謝った、熱を測った、横になった、薬を飲んだ、見つかった、飲みに行った、年を取った、風邪をひいた、ストレスがたまった、準備ができた、寝た、仕事を辞めた、町をぶらぶらした、友だちが来た

Sentence Pattern 1 ▶ Text p. 74

A ①温泉に入った ②ペットを飼った ③日本の映画を見た ④日本で運転した ⑤学校をサボった

B ①楽器を習った ②有名人に会った ③日本人のうちに泊まった ④ダイエットした ⑤日本で道に迷った

Sentence Pattern 2 ▶ Text p. 76

A ①店の人に聞いた ②友だちに相談した ③少し寝た ④早く謝った ⑤急いだ

B ①薬を飲んだ ②少し横になった ③病院に行った ④熱を測った ⑤明日、休んだ

Sentence Pattern 3 ▶ Text p. 78

A ①日本語を勉強した／本を読んだ ②友だちに会った／飲みに行った ③ジムに行った／自転車に乗った ④洗濯した／部屋を掃除した ⑤町をぶらぶらした／写真を撮った

B ①電車の中で ②飛行機の中で ③ひまなとき

Sentence Pattern 4 ▶ Text p. 80

A ①いい仕事が見つかった／今の仕事を辞めます ②テストに合格した／しばらくゆっくりします

---

①準備ができた／呼んでください ②授業が終わった／映画を見ましょう

B ①国から友だちが来た／飲みに行き ②休みが取れた／富士山に登り ③大阪に行っ

た／お好(この)み焼(や)きを食(た)べ　④ギターが上手(じょうず)になった／セッションし　⑤年(とし)を取(と)った／いっしょに旅行(りょこう)し

Listening ▶ Text p.82

Q1 2　**Q2** 1　**Q3** 1　**Q4** 3

Q1

F：二次会(にじかい)の場所(ばしょ)はどこですか。
M：まだ、決(き)めていません。
F：決(き)めたら、教(おし)えてください。
M：わかりました。

F : Where is the place for the after-party?
M: It hasn't been decided yet.
F : Please let me know once it is.
M: Okay.

Q2

M：いい歌(うた)ですね。
F：そうですね。彼(かれ)のライブを見(み)たことがありますか。
M：いいえ、ありません。
F：そうですか。見(み)たほうがいいですよ。おすすめです。

M: That's a nice song.
F : Yes, it is. Have you seen his live performance?
M: No, I haven't.
F : I see. You should. I recommend it.

Q3

M：週末(しゅうまつ)はどうでしたか。
F：日曜日(にちようび)はうちで昼寝(ひるね)したり、本(ほん)を読(よ)んだりしました。近藤(こんどう)さんは？
M：私(わたし)は友(とも)だちと出(で)かけました。
F：そうですか。

M: How was your weekend?
F : I took a nap and read books on Sunday. How about you, Kondō-san?
M: I went out with some friends.
F : I see.

Q4

F：かわいいですね。ロブさんの猫(ねこ)ですか。
M：ええ。ゆかさんは何(なに)かペットを飼(か)ったことがありますか。
F：子(こ)どものとき、鳥(とり)を飼(か)っていました。
M：そうですか。

F : She's cute. Is she your cat, Rob-san?
M: Yes. Have you ever owned a pet, Yuka-san?
F : I had a bird when I was a child.
M: I see.

Shadowing ▶ Text p.82

M_1: I went to an onsen (hot spring) yesterday.
M_2: Onsen sounds nice.
M_1: Have you been to an onsen, Bruce-san?
M_2: No, but I want to go one day.
M_1: You should try a roten-buro.
M_2: A roten-buro?
M_1: It's an outdoor bath. In roten-buro, I did fun things like talking with my friends and checking out the snowy scenery.
M_2: I see.

UNIT 6

Let's Practice! ▶ Text p.85

座(すわ)らない、置(お)かない、迎(むか)えに行(い)かない、払(はら)わない、話(はな)さない、騒(さわ)がない、悪口(わるくち)を言(い)わない、足(あし)を組(く)まない、急(いそ)がない、脱(ぬ)がない、会員(かいいん)にならない、遅(おく)れない、決(き)めない、捨(す)てない、覚(おぼ)えない、いない、忘(わす)れない、持(も)ってこない、気(き)にしない、無理(むり)しない

Sentence Pattern 1 ▶ Text p. 86

A ①ここに座らないで ②自転車をとめないで ③心配しないで ④気にしないで ⑤無理しないで

B ①ゴミを捨てないで ②中に入らないで ③ここに荷物を置かないで ④ここで写真を撮らないで ⑤携帯電話を使わないで

Sentence Pattern 2 ▶ Text p. 88

A ①明日の会議に出なきゃ ②ビザの更新をしなきゃ ③友だちを迎えに行かなきゃ ④11時までうちにいなきゃ ⑤8時半の電車に乗らなきゃ

B ①早めに宿題をしなきゃ ②土曜日も働かなきゃ ③朝、うちを早く出なきゃ ④飲み会の予定をキャンセルしなきゃ ⑤今週中に引っ越しの準備をしなきゃ

Sentence Pattern 3 ▶ Text p. 90

A ①悪口を言わない ②気にしない ③大きい声で話さない ④お酒を飲みすぎない ⑤夜遅く騒がない

B ①派手な服を着ない ②足や腕を組まない ③長く話しすぎない ④前の会社の悪口を言わない ⑤ほおづえをつかない

Sentence Pattern 4 ▶ Text p. 92

A ①明日は会社に行かなくて ②急がなくて ③明日は早く起きなくて ④お弁当を持ってこなくて ⑤スーツを着なくて

B ①くつを脱がなきゃ／脱がなくて ②今、決めなきゃ／決めなくて ③テキストを買わなきゃ／買わなくて ④会員にならなきゃ／ならなくて ⑤全部覚えなきゃ／覚えなくて

Listening ▶ Text p. 94

Q1 2 **Q2** 2 **Q3** 3 **Q4** 1

Q1

M：先生、今年JLPTを受けたいんですが…。

F：そうですか。がんばらなきゃいけませんね。

M：はい。

F：漢字は300ぐらいは覚えなきゃいけませんね。

M：そうですか…。

M: Sensei, I want to take this year's JLPT.
F : I see. You must work hard.
M: Okay.
F : You have to memorize about 300 kanji.
M: Is that so?

Q2

M：ここに紙コップを捨ててもいいですか。

F：はい、大丈夫ですよ。でも、プラスチックのカップは捨てないでください。

M：わかりました。

F：よろしくお願いします。

M: Can I throw away paper cups here?
F : Yes, you can. But don't throw away plastic cups.
M: Okay.
F : Thank you.

Q3

M：明日、私は会議に出なくてもいいですか。

F：いいえ、出たほうがいいですよ。

M：全部、日本語ですか。

F：そうですね。

M: Is it okay if I don't go to the meeting tomorrow?

F : No, you had better be at the meeting.
M: Is it going to be conducted in Japanese?
F : Yes, I think so.

Q4

M：木村さん、もう注文しないでください。
F：もっと飲みましょうよ。
M：私は帰ります。木村さんもあまり飲みすぎないほうがいいですよ。
F：私は大丈夫です。明日休みですから。

M: Kimura-san, please don't order any more.
F : Let's drink some more.
M: I'm leaving. You shouldn't drink too much, Kimura-san.
F : I'm all right. I have the day off tomorrow.

Shadowing ▶ Text p. 94

F_1 : Are you going for drinks with everyone on Friday?
F_2 : I don't know yet. By when must I decide?
F_1 : By tomorrow, please.
F_2 : Okay. Is Satō-san going?
F_1 : Satō-san won't go because he's on a business trip and is out of Tokyo.
F_2 : Then I'll go.
F_1 : Huh? Do you not get along with Satō-san?
F_2 : Actually, no. But don't tell Satō-san, please.
F_1 : Of course, I won't. Don't worry.
F_2 : Thank you.

UNIT 7

Let's Practice! ▶ Text p. 96

雨が降る、日本に住む、来ない、人気がない、英語が通じない、はやっていない、遅れる、結婚する

Let's Practice! ▶ Text p. 97

忙しい、おもしろくない、体によくない、多い、上手じゃない、安全だ、有名だ、日本人じゃない

Sentence Pattern 1 ▶ Text p. 98

A ①エミさんは週末、忙しい ②チンさんは英語が上手だ ③この映画はおもしろくない ④あの人は日本人じゃない ⑤彼はパーティーに来ない

B ①明日は雪です／雪だ／雪じゃない ②あの店は混んでいます／混んでいる／混んでいない ③週末は天気がいいです／いい／よくない ④駅にコインロッカーがあります／ある／ない ⑤あの二人は結婚します／する／しない

Sentence Pattern 2 ▶ Text p. 100

A ①ちょっと遅れる ②国に帰らない ③今年は雪が多い ④トムさんはもうすぐ引っ越す ⑤アンさんはベジタリアン

B ①JLPTを受ける ②来月はもっと忙しくなる ③ずっと日本に住む ④今度の休みにタイに行く ⑤自分でビジネスを始める

Sentence Pattern 3 ▶ Text p. 102

A ①メニューは日本語だけ ②有名なシェフがいる ③エリさんは留学する ④リンさんは歌が上手じゃない ⑤この美術館はおもしろい

B ①ここでは、英語があまり通じない ②近くにスポーツクラブができる ③この店はパンケーキが有名 ④もうすぐ新しいバージョンが出る ⑤部長が離婚する

Let's Practice! ▶ Text p. 104

会議に出なかった、国に帰った、しまった、わからなかった、鍵を閉めた、保存しなかった、戻ってこなかった、トラブルがあった

Let's Practice! ▶ Text p. 105

忙しくなかった、具合が悪かった、かっこよかった、まじめだった、ひまじゃなかった、雨だった、休みじゃなかった

Sentence Pattern 4 ▶ Text p. 106

A ①おじいさんは若いとき、かっこよかった
②トムさんは学生のとき、まじめだった
③彼は今日の授業がわからなかった ④先週の日曜日は雨だった ⑤佐藤さんは忘年会に行かなかった

B ①あの人のうちは中野でした／中野だった／中野じゃなかった ②鍵を閉めました／閉めた／閉めなかった ③あの人は外資系に勤めていました／勤めていた／勤めていなかった ④この辺に薬屋がありました／あった／なかった ⑤あの店は火曜日休みでした／休みだった／休みじゃなかった

Sentence Pattern 5 ▶ Text p. 108

A ①昨日のほうがひまだった ②去年のほうが忙しかった ③岡村さんは会議に出なかった ④Part 1のほうがいい映画だった ⑤クリスさんは国に帰った

B ①鍵を閉めました／閉めなかった ②パソコンの電源を切りました／切らなかった
③データを保存しました／保存しなかった
④ファイルをしまいました／しまわなかった ⑤ゴミを捨てました／捨てなかった

Sentence Pattern 6 ▶ Text p. 110

A ①ジョンさんは具合が悪かった ②ジョンさんは前は弁護士だった ③キムさんは今日も会社に遅れた ④キムさんは去年ロンドン支社にいた ⑤キムさんは昨日も忙しかった

B ①今日休みでした／昨日飲みすぎた ②最近忙しそうです／昨日も残業していた
③結婚しました／豪華な結婚式だった
④課長になりました／プロジェクトで成功した ⑤英語が上手です／アメリカで生まれた

Listening ▶ Text p. 112

Q1 3 **Q2** 1 **Q3** 3 **Q4** 1

Q1

M：いい漢字のアプリを知りませんか。

F：私は使っていませんが、このアプリは人気があるみたいですよ。

M：そうですか。便利かもしれませんね。

F：そうですね。

M: Do you know any good kanji apps?
F : I don't use it myself, but I hear this app is popular.
M: I see. That might be convenient.
F : Yes, maybe.

Q2

M：カレンさん、知っていますか。

F：何ですか。

M：ケビンさん、会社をやめるかもしれません。

F：そうみたいですね。

M: Karen-san, did you hear?
F : What is it?
M: Kevin-san may quit the company.
F : Yes, it seems like it.

Q3

M：この英語(えいご)のメールを翻訳(ほんやく)しなきゃいけないんです。

F：近藤(こんどう)さんはどうですか。英語(えいご)が得意(とくい)ですから。

M：じゃあ、お願(ねが)いしましょうか。

F：そうしましょう。

M: I have to translate this English email.
F : How about asking Kondō-san? Kondō-san's English is good.
M: Then, let's ask Kondō-san.
F : Yes, why don't we.

Q4

M：区役所(くやくしょ)で英語(えいご)が通(つう)じますか。

F：あまり通(つう)じないと思(おも)いますよ。

M：そうですか。

F：いっしょに行(い)きましょうか。

M: Do the people at the ward office understand English?
F : I don't think so.
M: I see.
F : Shall I go with you?

Shadowing ▶ Text p. 112

F_1: Oh! I may have forgotten my cell phone at the restaurant.
M: You should call them. Use my cell phone.
(on the phone)
F_2: Hello. This is Soleil.
F_1: Excuse me, was there a cell phone left on the counter there?
F_2: No, it doesn't seem so.
F_1: Then, I may have forgotten it in the bathroom.
F_2: In the bathroom? Okay, let me go take a look.
F_1: Thank you.

UNIT 8

Sentence Pattern 1 ▶ Text p. 118

A ①前(まえ)の会社(かいしゃ)／今(いま)の会社(かいしゃ)／給料(きゅうりょう)がいいです ②新宿(しんじゅく)／秋葉原(あきはばら)／電気屋(でんきや)が多(おお)いです ③漢字(かんじ)／ひらがな／簡単(かんたん)です ④電子辞書(でんしじしょ)／アプリ／便利(べんり)です ⑤お金(かね)／時間(じかん)／大切(たいせつ)です

B ①イタリアン／和食(わしょく) ②赤(あか)ワイン／白(しろ)ワイン ③土曜日(どようび)／日曜日(にちようび) ④午前(ごぜん)／午後(ごご) ⑤カウンター席(せき)／テーブル席(せき)

Sentence Pattern 2 ▶ Text p. 120

A ①全(ぜん)シリーズ／シリーズ１／おもしろいです ②世界(せかい)の国(くに)／中国(ちゅうごく)／人口(じんこう)が多(おお)いです ③日本料理(にほんりょうり)／寿司(すし)／好(す)きです ④家族(かぞく)／姉(あね)／背(せ)が低(ひく)いです ⑤１年(ねん)／６月(がつ)／ひまです

B ①家族(かぞく)／誰(だれ) ②季節(きせつ)／いつ ③１週間(しゅうかん)／何曜日(なんようび) ④映画(えいが)／何(なに) ⑤世界(せかい)／どの国(くに)

Sentence Pattern 3 ▶ Text p. 122

A ①今(いま)のうち／駅(えき)から近(ちか)くて広(ひろ)いです ②私(わたし)の町(まち)／静(しず)かで自然(しぜん)が多(おお)いです ③この店(みせ)のピザ／安(やす)くておいしいです ④となりの人(ひと)／意地悪(いじわる)でけちです ⑤このプロジェクト／難(むずか)しくて大変(たいへん)です

B ①今(いま)のルームメート／まじめで頭(あたま)がいいです ②ジョンさんの奥(おく)さん／やさしくてきれいです ③今度(こんど)の上司(じょうし)／意地悪(いじわる)で怖(こわ)いです ④会社(かいしゃ)の先輩(せんぱい)／かっこよくておもしろいです ⑤近藤(こんどう)さん／静(しず)かでシャイです

Sentence Pattern 4 ▶Text p. 124

A ①新しいアプリ／便利　②明日／天気がよさ　③となりの犬／頭がよさ　④あの店のマフィン／甘　⑤先生／大変

---

①新しいアプリ／便利じゃなさ　②明日／天気がよくなさ　③となりの犬／頭がよくなさ　④あの店のマフィン／甘くなさ　⑤先生／大変じゃなさ

B ①本／難しそうです／おもしろくなさそうです　②アパート／古そうです／部屋が暗そうです　③スーツ／高そうです／着やすそうです　④バッグ／持ちやすそうです／軽そうです　⑤映画／怖そうです／おもしろそうです

Sentence Pattern 5 ▶Text p. 126

A ①この仕事／大変　②今週／忙し　③この店のピザ／小さ　④このクラス／静か　⑤この問題／簡単

B ①昨日の晩ご飯／おいしかったです／少なすぎました　②ホテル／きれいでした／高すぎました　③映画／よかったです／ストーリーが複雑すぎました　④この間の飲み会／楽しかったです／人が多すぎました　⑤昨日のテスト／簡単でした／時間が短すぎました

Listening ▶Text p. 128

Q1 3　**Q2** 1　**Q3** 3　**Q4** 2

Q1

M：髪を切ったんですね。

F：はい。でもちょっと短すぎると思いませんか。

M：そうですか。私はいいと思いますよ。

F：うーん。

M: You cut your hair.
F : Yes, but don't you think I cut it too short?
M: Really? I think it looks fine.
F : Hmmm.

Q2

F：最近、仕事はどうですか。

M：忙しいですが、楽しいです。ミカさんは？

F：私はひますぎて、つまらないです。

M：そうですか。

F : How is work these days?
M: I'm busy, but it's fun. How about you, Mika-san?
F : I'm not busy at all, and I'm bored.
M: Is that so?

Q3

M：日本では、相撲と野球とどちらのほうが人気がありますか。

F：野球だと思います。

M：そうですか。日本では相撲が一番人気があると思っていました。

F：私は相撲のほうが好きですけどね。

M: Which is more popular in Japan, sumo or baseball?
F : I think baseball.
M: I see. I thought sumo was the most popular sport in Japan.
F : I personally prefer sumo.

Q4

F：そのくつ、履きやすそうですね。

M：ええ、とても履きやすいですよ。

F：どこで買いましたか。私もほしいです。

M：ネットで買いました。お店よりネットのほうが安いと思います。

F : Those shoes look comfortable.
M: Yes, they're very comfortable.
F : Where did you buy them? I want a pair too.
M: I bought them on the net. It's cheaper than buying them at a shop.

Shadowing ▶Text p. 128

M_1: Which do you prefer, the city center or the suburbs?
M_2: I prefer the suburbs. You'll find more nature, and the rent is probably cheaper.
M_1: How about this one? You'll get a lot of sun light.
M_2: That looks good.
M_1: Yes, I think it's the best one around here.
M_2: Yes, it looks like it's the best one. But it's a little far from the station.
M_1: How about going there to take a look?
M_2: Yes, let's do that.

UNIT 9

Let's Practice! ▶Text p. 131

弾ける、使える、話せる、泳げる、乗れる、読める、料理が作れる、走れる、申し込める、書ける、行ける、聞ける、見られる、起きられる、覚えられる、電話がかけられる、寝られる、来られる、案内できる、運転できる

Sentence Pattern 1 ▶Text p. 132

A ①会議室が使えます ②日本語が話せます ③500メートル泳げます ④自転車に乗れます ⑤毎朝6時に起きられます

---

①会議室が使えません ②日本語が話せません ③500メートル泳げません ④自転車に乗れません ⑤毎朝6時に起きられません

B ①日本で車の運転ができます／できます／できません ②日本の料理が作れます／作れます／作れません ③一人で来られます／来られます／来られません ④ここでWi-Fiが使えます／使えます／使えません ⑤すぐに人の名前が覚えられます／覚えられます／覚えられません

Sentence Pattern 2 ▶Text p. 134

A ①10キロ走れる ②ウェブから申し込める ③無料でアプリのダウンロードができる ④日本人の名前が覚えられる ⑤日本語で簡単なメールが書ける

B ①友だちと日本語だけで話せる ②日本語で電話がかけられる ③一人でどこでも行ける ④敬語が使える ⑤東京が案内できる

Sentence Pattern 3 ▶Text p. 136

A ①海 ②ホワイトボードの字

---

①話し声 ②虫の声

B ①見えます／見えません／もっと大きくコピーして ②聞こえます／聞こえません／もっとボリュームをあげて ③聞こえます／聞こえません／もう少し大きい声で話して

C **1)** ①見られます ②見られません ③見られます ④見えなく

2) ①聞けます ②聞こえます ③聞けなく ④聞けません

Listening ▶ Text p. 138

Q1 1 **Q2** 1 **Q3** 2 **Q4** 3

Q1

M：よう子さん、何か楽器ができますか。
F：ピアノは少し弾けますが、ほかは何も…。ニックさんは？
M：ピアノは弾けませんが、ギターは少し弾けますよ。
F：そうですか。

M: Yōko-san, can you play an instrument?
F : I can play the piano a little, but nothing else. How about you, Nick-san?
M: I can't play the piano, but I can play the guitar a little.
F : I see.

Q2

F：おじいさんは元気ですか。
M：はい、元気です。でも最近、耳がよく聞こえないみたいです。
F：そうですか。
M：でも、まだ目はいいから、新聞は読めるんですよ。

F : Is your grandfather doing well?
M: Yes, he's well. But it seems he cannot hear well these days.
F : I see.
M: But his eyes are fine, so he can still read the newspaper.

Q3

F：新しい漢字のアプリ、ダウンロードしましたか。
M：できませんでした。
F：どうしてですか。
M：たぶんOSのバージョンが古いからだと思います。

F : Did you download the new kanji app?
M: I couldn't.
F : Why not?
M: The iOS version I have is probably old.

Q4

M：仕事で日本語が使えるようになりましたか。
F：はい。簡単なEメールは書けるようになりました。
M：そうですか。
F：早く資料も読めるようになりたいです。

M: Are you able to use Japanese at work now?
F : Yes. I can write simple emails now.
M: I see.
F : I want to be able to read the documents.

Shadowing ▶ Text p. 138

M: Oh, Amelie-san. You also saw this movie?
F : Yes, it was so good.
M: Well... I was sitting in the front row so I couldn't see the subtitles so well.
F : What?
M: I couldn't read the subtitles, so I didn't understand the story very much.
F : Yeah, and it's a French movie, too.
M: I've been studying French for the last two years, but I still have a lot to learn.
F : I see.
M: I really want to be able to understand French.

UNIT 10

Let's Practice! ▶ Text p. 140

行く、行かない、行った、行かなかった、いる、いない、いた、いなかった、届く、届かない、届いた、届かなかった、来る、来ない、来た、来なかった、テストがある、テストがない、テストがあった、テストがなかった、予約(よやく)できる、予約(よやく)できない、予約(よやく)できた、予約(よやく)できなかった、お金(かね)がおろせる、お金(かね)がおろせない、お金(かね)がおろせた、お金(かね)がおろせなかった、持(も)っている、持(も)っていない、持(も)っていた、持(も)っていなかった、風邪(かぜ)をひく、風邪(かぜ)をひかない、風邪(かぜ)をひいた、風邪(かぜ)をひかなかった、けがをする、けがをしない、けがをした、けがをしなかった、疲(つか)れる、疲(つか)れない、疲(つか)れた、疲(つか)れなかった、撮(と)る、撮(と)らない、撮(と)った、撮(と)らなかった、使(つか)う、使(つか)わない、使(つか)った、使(つか)わなかった、乗(の)る、乗(の)らない、乗(の)った、乗(の)らなかった、歌(うた)う、歌(うた)わない、歌(うた)った、歌(うた)わなかった、食(た)べる、食(た)べない、食(た)べた、食(た)べなかった

高(たか)い、高(たか)くない、高(たか)かった、高(たか)くなかった、忙(いそが)しい、忙(いそが)しくない、忙(いそが)しかった、忙(いそが)しくなかった、具合(ぐあい)が悪(わる)い、具合(ぐあい)が悪(わる)くない、具合(ぐあい)が悪(わる)かった、具合(ぐあい)が悪(わる)くなかった、天気(てんき)がいい、天気(てんき)がよくない、天気(てんき)がよかった、天気(てんき)がよくなかった、難(むずか)しい、難(むずか)しくない、難(むずか)しかった、難(むずか)しくなかった

元気(げんき)だ、元気(げんき)じゃない、元気(げんき)だった、元気(げんき)じゃなかった、上手(じょうず)だ、上手(じょうず)じゃない、上手(じょうず)だった、上手(じょうず)じゃなかった、好(す)きだ、好(す)きじゃない、好(す)きだった、好(す)きじゃなかった

休(やす)みだ、休(やす)みじゃない、休(やす)みだった、休(やす)みじゃなかった、無料(むりょう)だ、無料(むりょう)じゃない、無料(むりょう)だった、無料(むりょう)じゃなかった、会議(かいぎ)だ、会議(かいぎ)じゃない、会議(かいぎ)だった、会議(かいぎ)じゃなかった

Sentence Pattern 1 ▶ Text p. 142

A ①地下鉄一本(ちかてついっぽん)で行(い)ける ②明日(あした)までに届(とど)く ③クレジットカードが使(つか)える ④月曜日(げつようび)は休(やす)みの ⑤田中(たなか)さんは来(こ)ない

B ①どこで予約(よやく)できますか／ウェブから英語(えいご)で予約(よやく)できる ②田中(たなか)さんの出身(しゅっしん)はどこですか／長崎(ながさき)の ③どこでお金(かね)がおろせますか／コンビニでおろせる ④イさんは何(なん)か国語話(こくごはな)せますか／４か国語話(こくごはな)せる ⑤誰(だれ)が資料(しりょう)を持(も)っていますか／岡村(おかむら)さんが持(も)っている

Sentence Pattern 2 ▶ Text p. 144

A ①あさって会議(かいぎ)な ②具合(ぐあい)が悪(わる)い ③急用(きゅうよう)ができた ④風邪(かぜ)をひいた ⑤けがをした

B ①日本(にほん)に家族(かぞく)が来(き)た／食事(しょくじ)に行(い)きました ②今週国(こんしゅうこく)から友(とも)だちが来(く)る／部屋(へや)を掃除(そうじ)しました ③天気(てんき)がよかった／散歩(さんぽ)しました ④１日休(にちやす)みだった／映画(えいが)を見(み)に行(い)きました ⑤疲(つか)れていた／何(なに)もしませんでした

Sentence Pattern 3 ▶ Text p. 146

A ①よく使(つか)っているアプリ ②最近(さいきん)できた店(みせ) ③毎日乗(まいにちの)る電車(でんしゃ) ④昔住(むかしす)んでいた町(まち) ⑤子(こ)どものとき歌(うた)った歌(うた)

B ①本(ほん)を読(よ)みます／あまり難(むずか)しくない本(ほん)を読(よ)みます ②町(まち)に行(い)きたいです／おもしろい店(みせ)がある町(まち)に行(い)きたいです ③先生(せんせい)がいいです／字(じ)が上手(じょうず)な先生(せんせい)がいいです ④仕事(しごと)がしたいです／人(ひと)と話(はな)す仕事(しごと)がしたいです ⑤アプリを使(つか)っています／無料(むりょう)のアプリを使(つか)っています

Sentence Pattern 4 ▶ Text p. 148

A ①引っ越す ②レッスンを続ける ③お金を払った ④うまくいった ⑤合格した

B ①３年後、東京に住んでいますか／住んでいる／わかりません ②近藤さんの送別会に行きますか／行く／決めていません ③出かけるまえに鍵をかけましたか／かけた／覚えていません ④領収書をもらいましたか／もらった／忘れました ⑤明日、会議がありますか／ある／わかりません

Sentence Pattern 5 ▶ Text p. 150

A ①誰に頼む ②どんなホテルに泊まる ③ジュリアさんがどこに住んでいる ④ジュリアさんがどんな仕事をしていた ⑤ジュリアさんが誰とつきあっていた

B ①どんな会社に転職しますか／どんな会社に転職するかまだ決めていません ②週末、どこに行きますか／どこに行くかまだ決めていません ③ここまでどうやって来ましたか／どうやって来たか覚えていません ④そのシャツはいくらでしたか／いくらだったか覚えていません ⑤面接で何を話しましたか／何を話したか覚えていません

Listening ▶ Text p. 152

Q1 3 **Q2** 3 **Q3** 2 **Q4** 3

Q1

F：太田さん、最近仕事はどうですか。

M：あー、仕事は先週辞めました。

F：え？ どうして辞めたんですか。

M：うーん。仕事は楽しかったんですが、給料が安かったので辞めました。

F : Ōta-san, how is your job?
M: Umm, I quit last week.
F : What? Why did you quit?
M: Well, the work was fun, but the pay was low, so I quit.

Q2

F：営業部の田中さんって結婚しているんですか。

M：さあ、結婚しているかどうか知りません。

F：そうですか。どこに住んでいるんですか。

M：さあ、どこに住んでいるかわかりません。

F : Is Tanaka-san in the sales department married?
M: Hmm, I don't know if he's married.
F : Oh, I see. Where does he live?
M: Hmm, I don't know where he lives.

Q3

M：週末はどうでしたか。

F：ピクニックに行くはずだったんですが、子どもが風邪をひいて…。

M：行かなかったんですか。

F：はい。それで、うちで仕事をしました。

M: How was your weekend?
F : We were supposed to go on a picnic, but our child caught a cold...
M: So you didn't go?
F : No, we didn't. So I worked at home.

Q4

F：おととい行った店の名前、覚えていますか。

M：最初に行った居酒屋ですか。

F：いいえ。モヒートを飲んだバーです。

M：うーん、覚えていません。

F : Do you remember the name of the shop we went to the day before yesterday?
M: Are you referring to the first izakaya we went to?
F : No, the bar where we had mojitos.
M: Hmm, I don't remember.

Shadowing ▶ Text p. 152

F : Is Okamura-sensei still here?
M: He should be here because he has an evening class... He wasn't in the classroom?
F : No, he's not there.
M: Then, he may have stepped out for dinner.
F : Will he be back by 6 p.m.?
M: I'm not sure if he will be back by that time.
F : I see. Then, can you pass this homework to him?
M: Okay.
F : Thank you.

UNIT 11

Let's Practice! ▶ Text p. 156

落(お)として、待(ま)って、使(つか)って、店(みせ)が開(あ)いて、読(よ)んで、鍵(かぎ)をなくして、ゴミを出(だ)して、こぼして、しまって、渡(わた)して、頼(たの)んで、咲(さ)いて、エアコンがついて、席(せき)が空(あ)いて、転(ころ)んで、残(のこ)って、あまって、入(はい)って、忘(わす)れて、壊(こわ)れて、並(なら)べて、知(し)らせて、鍵(かぎ)がかかって、データが消(き)えて、落(お)ちて、間違(まちが)えて、捨(す)てて、けんかして、寝坊(ねぼう)して、保存(ほぞん)して

Sentence Pattern 1 ▶ Text p. 158

A ①もう少(すこ)し待(ま)って　②インストールして　③今度(こんど)使(つか)って　④サプリを飲(の)んで　⑤ネットで調(しら)べて

B ①曲(きょく)を聞(き)きました／聞(き)いて　②記事(きじ)を読(よ)みました／読(よ)んで　③お菓子(かし)を食(た)べました／食(た)べて　④カフェに行(い)きました／行(い)って　⑤ゲームをしました／して

Sentence Pattern 2 ▶ Text p. 160

A ①ゴミを出(だ)して　②チケットを買(か)って　③いすを並(なら)べて　④テキストを読(よ)んで　⑤みんなに連絡(れんらく)して

B ①近藤(こんどう)さんにスケジュールを知(し)らせて　②資料(しりょう)をプリントアウトして　③ジョンさんにこれを渡(わた)して　④このデータを保存(ほぞん)して　⑤この仕事(しごと)を近藤(こんどう)さんに頼(たの)んで

Sentence Pattern 3 ▶ Text p. 162

A ①鍵(かぎ)がかかって　②エアコンがついて　③電気(でんき)が消(き)えて　④車(くるま)がとまって　⑤財布(さいふ)が落(お)ちて

B ①席(せき)／空(あ)いて／空(あ)いて／空(あ)いて　②本屋(ほんや)／開(あ)いて／開(あ)いて／開(あ)いて　③雪(ゆき)／残(のこ)って／残(のこ)って／残(のこ)って　④冷蔵庫(れいぞうこ)にビール／入(はい)って／入(はい)って／入(はい)って　⑤ドーナツ／あまって／あまって／あまって

Sentence Pattern 4 ▶ Text p. 164

A ①寝坊(ねぼう)して　②友(とも)だちとけんかして　③携帯(けいたい)が壊(こわ)れて　④データが消(き)えて　⑤教科書(きょうかしょ)を忘(わす)れて

B ①時間(じかん)を間違(まちが)えて　②テストに遅刻(ちこく)して　③駅(えき)で転(ころ)んで　④大事(だいじ)な資料(しりょう)を捨(す)てて　⑤うちの鍵(かぎ)をなくして

Listening ▶ Text p. 166

Q1 3　**Q2** 3　**Q3** 2　**Q4** 2

Q1

M：この資料(しりょう)、コピーしておきましょうか。

F：あ、大丈夫(だいじょうぶ)ですよ。

M：そうですか。何(なに)か手伝(てつだ)いましょうか。

F：じゃあ、ゴミを捨(す)てておいていただけませんか。

M：はい！

M: Shall I copy these documents?
F : Oh, it's okay.
M: I see. Is there anything I can help with?
F : Can you please throw away the trash?
M: Yes.

Q2

M：どうしたんですか。

F：電車(でんしゃ)にかばんを忘(わす)れてしまったんです。

M：えっ、大変(たいへん)ですね。

F：ええ。駅(えき)で聞(き)いてみます。

M: What happened?
F : I forgot my bag on the train.
M: Really? That's too bad.
F : Indeed. I'll inquire at the station.

Q3

F：1階(かい)の席(せき)、まだ空(あ)いていましたか。

M：さっき見(み)てみたんですが…。

F：どうでしたか。

M：もう空(あ)いていませんでした。

F : Are there any open seats on the first floor?
M: I looked a minute ago, but...
F : How did it look?
M: There weren't any open seats.

Q4

F：ビールはありますか。

M：はい、もう冷蔵庫(れいぞうこ)に入(はい)っています。

F：紙(かみ)コップはまだ残(のこ)っていますか。

M：あ、紙(かみ)コップはありません。

F : Do you have any beer?
M: Yes, it's in the refrigerator.
F : Are there any paper cups left?
M: Oh, no there aren't any paper cups.

Shadowing ▶ Text p. 166

F_1: Is it still raining?
F_2: Yes, it's raining heavier than before.
F_1: What shall I do? I forgot my umbrella.
F_2: I think that there are a lot of forgotten umbrellas in the locker room.
F_1: I'll ask the receptionist.
F_2: Then, can you borrow one for me too?
F_1: Oh, Yuki-san, you don't have an umbrella, either?
F_2: Actually, mine broke a moment ago.
F_1: I see. Then, I'll borrow one for you too.
F_2: Thank you!

UNIT 12

Let's Practice! ▶ Text p. 169

申(もう)し込(こ)めば、タクシーに乗(の)れば、許可(きょか)をもらえば、持(も)っていけば、払(はら)えば、待(ま)てば、出(だ)せば、働(はたら)けば、調(しら)べれば、取(と)りかえれば、集(あつ)めれば、続(つづ)ければ、持(も)ってくれば、優(やさ)しくすれば、留学(りゅうがく)すれば

降(ふ)らなければ、食(た)べなければ、練習(れんしゅう)しなければ

Sentence Pattern 1 ▶ Text p. 170

A ①薬(くすり)を飲(の)めば、よくなります ②ネットで調(しら)べれば、わかります ③デパートに行(い)けば、あります ④練習(れんしゅう)しなければ、上手(じょうず)に

なりません　⑤雨が降らなければ、行きます

B　①レシートを持っていけば　②当日払えば　③許可をもらえば　④3,000円あれば　⑤今日申し込めば

Sentence Pattern 2　▶ Text p. 172

A　①もっとお金を持ってくれば　②30分早く起きれば

---

①あんなひどいことを言わなければ　②こんなに買わなければ

B　①ふられてしまいました／もっと優しくすれば　②ぎっくり腰になってしまいました／重いものを持たなければ　③コンサートのチケットが売り切れてしまいました／早く買えば　④仕事をクビになってしまいました／もっとまじめに働けば　⑤去年の服が着られなくなってしまいました／あまり食べなければ

Sentence Pattern 3　▶ Text p. 174

A　①いつ申し込めば　②誰に聞けば　③何時に来れば　④いくら払えば　⑤何を持ってくれば

B　①どんなふうに書けば／サンプルを見て
②何人集めれば／20人ぐらい集めて
③どのぐらい待てば／30分ぐらい待って
④いつまでに出せば／明日の午前中までに出して　⑤何枚コピーすれば／部長に聞いて

Listening　▶ Text p. 176

Q1 2　**Q2** 2　**Q3** 1　**Q4** 2

Q1

F：すみません、東京駅までどうやって行けばいいですか。

M：うーん、バスかなあ、電車かなあ…。あっ、あそこに交番がありますよ。

F：交番で聞けばわかりますか。

M：ええ、わかると思います。

F : Excuse me. How do I get to Tokyo Station?
M: Hmm, maybe the bus... or the train... ah, there's a police box over there.
F : Will they know at the police box?
M: Yes, they should.

Q2

M：お腹が痛いんですか。

F：ええ。アイスクリームをあんなに食べなければよかったです。

M：そうですね。

F：うーん、痛い…。

M: Do you have a stomachache?
F : Yes. I shouldn't have eaten so much ice cream.
M: No, you shouldn't have.
F : Oooh, it hurts...

Q3

F：明日のパーティーに行きますか。

M：仕事が終われば、行きたいです。

F：私は会議がなければ、行くつもりです。

M：行けたら、パーティーで会いましょう。

F : Are you going to tomorrow's party?
M: I want to go if I'm able to finish my work.
F : I plan to go if there is no meeting.
M: Let's meet at the party if you make it there.

Q4

M：明日(あした)のイベント、何時(なんじ)からですか。

F：9時半(じはん)からです。

M：何時(なんじ)に行(い)けばいいですか。

F：10分前(ぷんまえ)に行(い)けば、大丈夫(だいじょうぶ)ですよ。

M: What time does tomorrow's event start?
F : It's from 9:30.
M: What time should I be there?
F : Just be there 10 minutes before it starts.

Shadowing ▶ Text p. 176

M_1: It seems like there is going to be a test tomorrow.
M_2: Really? I didn't know.
M_1: It looks like it's a kanji test.
M_2: Oh, kanji. Then, I'm fine.
M_1: Oh? Why is that?
M_2: I studied Chinese in college.
M_1: I see. How can I memorize kanji? I'm not good at kanji.
M_2: I think memorizing the meaning and words that use the kanji together would be best. This app is also helpful.
M_1: I see. I should have asked you sooner, Paulo-san.

UNIT 13

Sentence Pattern 1 ▶ Text p. 178

A-1 ①弟(おとうと)／Tシャツ ②友(とも)だち／日本語(にほんご)の教科書(きょうかしょ)

A-2 ①祖父(そふ)／腕時計(うでどけい) ②同僚(どうりょう)／お土産(みやげ)

B ①ネックレス ②ネクタイ ③ブレスレット

Sentence Pattern 2 ▶ Text p. 180

A ①となりの人(ひと)／りんご ②父(ちち)／腕時計(うでどけい) ③先生(せんせい)／チョコレート ④彼(かれ)／香水(こうすい)、彼女(かのじょ)／香水(こうすい) ⑤お店(みせ)の人(ひと)／サービス券(けん)

B ①パンフレット／ホテルのフロント ②うちわ／道(みち) ③ティッシュ／駅前(えきまえ) ④サンプル／薬局(やっきょく) ⑤クリアファイル／学校(がっこう)

Sentence Pattern 3 ▶ Text p. 182

A-1 ①友(とも)だち／かさを貸(か)して ②おばあさん／席(せき)をゆずって

A-2 ①ジョンさん／写真(しゃしん)を見(み)せて ②彼(かれ)／ご飯(はん)を作(つく)って、彼女(かのじょ)／ご飯(はん)を作(つく)って

B ①漢字(かんじ)を教(おし)えて ②友(とも)だちを紹介(しょうかい)して ③駅(えき)まで送(おく)って ④浅草(あさくさ)に連(つ)れていって ⑤パーティーに誘(さそ)って

Sentence Pattern 4 ▶ Text p. 184

A ①会社(かいしゃ)の先輩(せんぱい)／データをチェックして ②郵便屋(ゆうびんや)さん／再配達(さいはいたつ)して ③知(し)らない人(ひと)／道(みち)を教(おし)えて ④父(ちち)／車(くるま)で迎(むか)えに来(き)て ⑤お店(みせ)の人(ひと)／シャツを取(と)りかえて

B ①その絵(え)を描(か)いて／知(し)り合(あ)い／描(か)いて
②宿題(しゅくだい)をみて／日本人(にっぽんじん)の友(とも)だち／みて
③書類(しょるい)を翻訳(ほんやく)して／同僚(どうりょう)／翻訳(ほんやく)して
④セーターを編(あ)んで／祖母(そぼ)／編(あ)んで
⑤写真(しゃしん)を撮(と)って／近(ちか)くにいた人(ひと)／撮(と)って

Listening ▶ Text p. 186

Q1 1 **Q2** 1 **Q3** 3 **Q4** 3

Q1

M：いい帽子(ぼうし)ですね。

F：ええ。誕生日(たんじょうび)にジョンさんがくれたんです。

M：へえ。リナさんもジョンさんに何(なに)かあげましたか。

F：もちろん。私(わたし)は映画(えいが)のチケットを買(か)ってあげました。

M: That's a nice hat.
F : Yes. John-san gave it to me for my birthday.
M: Really? Did you give something to John-san too, Lina-san?
F : Of course I did. I bought him a ticket to a movie.

Q2

M：昨日(きのう)、日本人(にほんじん)の友(とも)だちに漢字(かんじ)を教(おし)えてもらったんです。

F：へえ、よかったですね。

M：私(わたし)は英語(えいご)を教(おし)えてあげました。

F：私(わたし)も教(おし)えてもらいたいです。

M: Yesterday my Japanese friend taught me kanji.
F : That's good for you.
M: So I taught him English.
F : I want to learn English too.

Q3

F：日本人(にほんじん)は優(やさ)しいと思(おも)いますか。

M：ええ。私(わたし)はよく道(みち)を教(おし)えてもらいますよ。

F：私(わたし)はときどき勉強(べんきょう)を手伝(てつだ)ってもらいます。

M：そうですか。

F : Do you think the Japanese are kind?
M: Yes. I often get help with directions.
F : I sometimes get help with my studies.
M: I see.

Q4

M：そのティッシュペーパー、どうしたんですか。

F：駅(えき)でもらったんです。

M：え？ ただですか。

F：ええ。みんなもらっていましたよ。

M: Where did you get that tissue paper?
F : I got it at the station.
M: Really? For free?
F : Yes. Everyone was getting some.

Shadowing ▶ Text p. 186

M: Have you ever gone on a homestay, Yasuko-san?
F : Yes, I did one in the United States when I was in high school.
M: How as it?
F : There were three children, so the host mother was very busy.
M: I see.
F : So she often didn't cook dinner.
M: Oh, is that so?
F : But the children were cute. They played with me, so my English improved. How is your host family in Japan, Bill-san?
M: There's only the grandmother, but she is very kind. I sometimes help out with household chores like cleaning the place or going shopping with her.
F : Does she cook dinner for you?
M: Yes. She always cooks so much.

UNIT 14

Let's Practice! ▶ Text p. 189

行(い)こう、引(ひ)っ越(こ)そう、休(やす)みを取(と)ろう、迎(むか)えに行(い)こう、歩(ある)こう、働(はたら)こう、洗(あら)おう、ふこう、買(か)おう、申(もう)し込(こ)もう、使(つか)おう、聞(き)こう、試験(しけん)を受(う)けよう、掃除機(そうじき)をかけよう、見(み)よう、セミナーに出(で)よう、連(つ)れてこよう、残業(ざんぎょう)しよう、変更(へんこう)しよう、メールしよう

Sentence Pattern 1 ▶ Text p. 190

A ①今日(きょう)は残業(ざんぎょう)しよう ②JLPTの試験(しけん)を受(う)けよう ③来年(らいねん)引(ひ)っ越(こ)ししよう ④9月(がつ)に長(なが)い休(やす)みを取(と)ろう ⑤うちに友(とも)だちを連(つ)れてこよう

B ①空港(くうこう)まで迎(むか)えに行(い)きます／行(い)こう ②セミナーに出(で)ます／出(で)よう ③次(つぎ)の駅(えき)まで歩(ある)きます／歩(ある)こう ④時間(じかん)を変更(へんこう)します／変更(へんこう)しよう ⑤日本(にほん)で働(はたら)きます／働(はたら)こう

Sentence Pattern 2 ▶ Text p. 192

A ①チケットを買おう／もう売り切れでした　②セミナーに申し込もう／昨日が締め切りでした　③岡村さんに聞こう／今日は休みでした　④明日休みを取ろう／打ち合わせが入りました　⑤富士山に登ろう／台風が来ました

B ①友だちにメールしましたか／メールしよう／友だちからメールが来ました
②テキストを買いましたか／買おう／友だちがくれました　③DVDを見ましたか／見よう／プレーヤーが壊れていました
④このノートパソコンを使いましたか／使おう／バッテリーが切れていました　⑤机の上のパンを食べましたか／食べよう／カビが生えていました

Listening ▶ Text p. 194

Q1 3　**Q2** 2　**Q3** 3　**Q4** 3

Q1

F：先週海に行ったんですよ。
M：あー、いいですね。私も行こうと思っていたんですが…。
F：行かなかったんですか。
M：ええ。でも、今週は行こうと思っています。

F : I went to the beach last week.
M: Oh, that's nice. I wanted to go too but...
F : You didn't go?
M: No. But I plan to go this week.

Q2

M：今度の日本語の試験を受けますか。
F：うーん。今年はやめようと思っています。
M：そうですか。私は受けようと思っています。
F：そうですか。

M: Will you be taking the next Japanese language exam?
F : Hmm. I probably won't take it this year.
M: I see. I'm thinking of taking it.
F : I see.

Q3

F：今朝、電車に乗ろうと思ったら、すごく混んでいて…。
M：乗れましたか。
F：いいえ。それで、タクシーで行こうと思ったんですが、タクシーも混んでいて…。
M：大変でしたね。

F : This morning when I tried to take the train, it was so crowded...
M: Were you able to get on?
F : No. So I tried to go by taxi, but the taxi stand was also crowded.
M: That's too bad.

Q4

M：最近たくさん運動していますね。
F：ええ。今年の夏、富士山に登ろうと思っているんです。
M：いいですね。
F：夜登って、日の出を見ようと思っています。

M: You're exercising a lot these days.
F : Yes. I plan to climb Mount Fuji this summer.
M: That's great.
F : I'm going to climb at night and watch the sunrise.

Shadowing ▶ Text p. 194

F : Did you see yesterday's soccer match?
M: No, I tried to watch on TV, but it was already over.
F : I watched it in the stadium.

M: What? You watched it in the stadium?

F : Yeah.

M: That's great. I want to see a game at the stadium, too.

F : But you can see the players better on TV.

M: But I think it would be more fun at the stadium.

F : Yeah. My seat was pretty far from the field during the match yesterday, so I think I'd like to get a better seat next time.